# Descansem em paz os nossos mortos dentro de mim

CIP-BRASIL. CATALOGAÇÃO NA PUBLICAÇÃO
SINDICATO NACIONAL DOS EDITORES DE LIVROS, RJ

P484d

Perazzo, Sergio
    Descansem em paz os nossos mortos dentro de mim / Sergio Perazzo. - [5. ed.] - São Paulo : Ágora, 2019.
    160 p.

    ISBN 978-85-7183-230-5

    1. Psicodrama. 2. Morte. I. Título.

19-58627
CDD: 616.891523
CDU: 616.8-085.851

Vanessa Mafra Xavier Salgado - Bibliotecária - CRB-7/6644

www.editoraagora.com.br

Compre em lugar de fotocopiar.
Cada real que você dá por um livro recompensa seus autores
e os convida a produzir mais sobre o tema;
incentiva seus editores a encomendar, traduzir e publicar
outras obras sobre o assunto;
e paga aos livreiros por estocar e levar até você livros
para a sua informação e o seu entretenimento.
Cada real que você dá pela fotocópia não autorizada de um livro
financia o crime
e ajuda a matar a produção intelectual de seu país.

# Descansem em paz os nossos mortos dentro de mim

Sergio Perazzo

EDITORA
ÁGORA

*DESCANSEM EM PAZ OS NOSSOS MORTOS DENTRO DE MIM*
Copyright © 1986, 1995, 2019 by Sergio Perazzo
Direitos desta edição reservados por Summus Editorial

Editora executiva: **Soraia Bini Cury**
Assistente editorial: **Michelle Campos**
Capa: **Santana**
Imagem de capa: **Gerd Altmann por Pixabay**
Projeto gráfico e diagramação: **Crayon Editorial**

**Editora Ágora**
Departamento editorial
Rua Itapicuru, 613 – 7º andar
05006-000 – São Paulo – SP
Fone: (11) 3872-3322
Fax: (11) 3872-7476
http://www.summus.com.br
e-mail: summus@summus.com.br

Atendimento ao consumidor
Summus Editorial
Fone: (11) 3865-9890

Vendas por atacado
Fone: (11) 3873-8638
Fax: (11) 3872-7476
e-mail: vendas@summus.com.br

Impresso no Brasil

## PRÉ-VERSO PERVERSO

Tão certo quanto três
mais quatro são sete
e sete são as colinas
em que Roma capital se fez,
capitais e sete
são os pecados cristãos.
Igualmente sete e felinas
são as léguas e as rotas,
fôlegos, cartesianas cotas,
alcance do Gato de Botas;
e a outra medida,
palmos sete,
de subterrâneos grãos
de terra, terra-mortalha,
noite feita ao fim do dia,
curto caminho de ida,
passagem que este verso
moroso corta
e cruamente entalha
na carne morta, carne fria,
de tão penoso,
de tão perverso.

# Sumário

*Prefácio – Dalmiro M. Bustos* ............................. 9
*Introdução* ............................................. 15

1. Morte, destino humano: morte, ato espontâneo? ......... 21
2. O homem e a morte: esboço histórico ................... 33
3. A simbologia e a compreensão da morte ................. 49
4. Morte e separação, paixão e transferência ............. 61
5. Morte e sexualidade .................................... 75
6. Descansem em paz os nossos mortos dentro de mim ....... 107

*Apêndice 1 – A morte e os mortos dentro de mim* ........ 121
*Apêndice 2 – O médico e a morte* ....................... 133
*Apêndice 3 – O segundo espaço mortuário* ............... 143
*Referências e notas* ................................... 153

# Prefácio

*Dalmiro M. Bustos*

Nos últimos anos, a até então exígua bibliografia psicodramática foi enriquecida por uma série de trabalhos que se caracterizaram pelo seu alto grau de criatividade, juntamente com seu valor científico. Todos eles encerram o espírito moreniano, mesmo quando possam questionar alguns ou muitos de seus postulados. Creio que nunca li um livro sobre psicodrama, ou escrito por um psicodramatista, que me tenha aborrecido. Carecem do hermetismo que caracteriza outros enfoques, são de fácil leitura, mesmo que possa haver, certamente, uns mais ricos do que outros. Moreno insistia em enfrentar o trágico com calma, o sério com um sorriso, desterrando o solene.[1]

A sensualidade transita em todos os territórios. Mesmo no tratamento de temas que tenham a profundidade do que é tratado neste livro; nada menos que a morte. Para sorte do leitor, Sergio Perazzo é um excelente psicodramatista brasileiro que nos leva pela mão para refletir sobre a morte. Para fazê-lo, recorre ao diálogo ágil com o leitor, o interlocutor estando sempre presente, vivo, participante. Deixa que confluam suas experiências em uma síntese existencial, permitindo que Ingmar Bergman conviva com Freud, Moreno com Bob Fosse (que seguramente o encantou, assim como poderia ser Fellini), Poe com Drummond de Andrade. Junto deles aparecem seus pacientes e também seus próprios fantasmas. Sergio Perazzo pode abordar o tema porque está assistindo à própria maturidade, que é também aceitar fugazmente a própria morte. O poeta, o escritor, o médico, o filósofo (negado mas indubitavelmente presente) também se reúnem, e o resultado é altamente satisfatório.

Talvez me ocorra pensar, estimulado pela proposta vibrante do autor, que houve um convidado possível que faltou à reunião: o J. L. Moreno que escreveu *As palavras do pai*.² Como o autor não o convidou, tomo a liberdade de fazê-lo — porque, nesse livro, Moreno nos comunica muitas de suas reflexões sobre a morte. Em suas páginas aparecem duas posturas diante da morte: uma, quando nos fala como Deus; outra, diferente, quando escreve suas preces. Entre as primeiras, uma das mais significativas é a seguinte:

> *Eu disse: que exista o tempo,*
> *E o tempo existiu.*
> *Eu disse: que exista o nascimento,*
> *Um começo de vida,*
> *E cada ser começou a nascer.*
> *Eu disse: que exista morte,*
> *Um término de vida,*
> *E cada ser começou a morrer.*

Em outro poema, diz:

> *Oh, ninguém voltará a amar de novo*
> *Na terra ou nas estrelas,*
> *Se eu não nasço.*
> *Oh, ninguém voltará a morrer*
> *novamente, na terra ou nas estrelas,*
> *Se eu não morro.*

Mais adiante, se rebela:

> *Por que deve existir um menino tão querido*
> *em minha mão desnuda,*
> *se se há de morrer?*

A dialética inexorável, plena de confirmações indestrutíveis aparece claramente quando nos pergunta:

*Por acaso ouvi alguém dizer:*
*Deus está morto?*
*Como pode estar morto,*
*Não havendo ainda nascido?*
*Por acaso ouvi alguém dizer:*
*Deus nasceu?*
*Pois, como poderia eu nascer,*
*Sendo ele Ser imortal?*

Nas preces, o tema é retomado com outro tom; ali aparece o ser humano Moreno:

*Oh, Deus, esta é minha prece:*
*A morte há de me conduzir de novo a Ti.*
*Mas contigo presente na morte,*
*quem pode morrer jamais?*

Como esta, há muitas passagens que tratam de sua postura perante a morte. Só quero citar, finalmente, a que me parece a mais eloquente de todas:

*Oh, Deus, dá-me tempo*
*Para orar com vigor.*
*Dá-me tempo,*
*Para cantar uma prece antes de morrer.*
*Isto será muito rápido, eu sei.*
*O doutor assim o disse,*
*E a enfermeira o disse assim,*
*Eu sinto a morte vir,*
*Descendo da minha cabeça*
*Até meu coração.*
*Mas, antes que meu coração se detenha,*
*Eu te agradeço,*
*Pela vida maravilhosa que tu me deste para viver.*

*Pelas árvores,
Que Tu plantaste
Justamente em frente à minha casa,
E pelo tempo,
Com que Tu me presenteaste gratuitamente,
Para esta prece.*

Essa prece foi escrita por Moreno quando ele tinha menos de 30 anos. Eu fui testemunha dos últimos dias de Moreno. Estive em Beacon uns meses antes e poucos dias depois de sua morte. Nos últimos tempos, ele esqueceu o inglês e só falava alemão. Houve rebeldia, aceitação, paz. O que Sergio Perazzo menciona no livro sobre os mitos da volta de Moreno em portas que se fecham e fantasmas noturnos nunca presenciei, embora seja muito possível, já que a vida dos homens famosos não lhes pertence, é continuamente reinventada por seus adeptos e inimigos. Estou certo de que ele teria se divertido muito com tudo isso.

Embora eu sem dúvida acredite que Moreno nos mostra a sua concepção da vida e da morte, cabe perguntar se não há em todo pensamento humano, independentemente do conteúdo, uma tentativa de negar a morte. José Donoso, um grande escritor chileno, formula esse pensamento, colocando-o na boca de um dos personagens de seu romance *A coroação*: "Mas, não vês que toda vida, toda obra, não importa em que campo, todo ato de amor não é mais que uma rebeldia contra a extinção, não importa que seja falsa ou verdadeira, que dê resultado ou não?"

Eu acrescentaria que as próprias bases da razão, que a raiz da lógica Aristotélica, têm por objeto negar a existência da morte, aprisioná-la, vencê-la. Fica então muito difícil tentar sua profunda compreensão a partir de um sistema montado para negá-la. Toda a cultura ocidental e cristã, com seus ritos, enterros, velórios, seus prantos e gritos, mesmo nas mortes mais esperadas, nos falam da incapacidade de sua aceitação.

O próprio carnaval, a festa mais colorida, criativa e vital que temos no Brasil, e certamente na maior parte do mundo, nasce na Idade Média, como uma fantasia de triunfo do homem diante da morte.

Quando, por ocasião da passagem do século, se faz a predição do fim do mundo e depois se comprova que isso não ocorre, mas que, sim, morre na hora assinalada para o fim geral um homem chamado Pierre, todo o povo se põe a festejar, seguindo o cortejo funerário. A morte tem, como era usual, uma máscara funerária branca, seguida pela mulher que cuidava dos nichos (colombas) e por um menino que anunciava o cortejo com múltiplas campainhas (guizos). A Comédia da Arte os resgata depois como Pierrô, Colombina, Polichinelo etc. (*carne valet*, o servente da morte).

Pessoalmente, beirando o meio século de vida, com minhas satisfações e frustrações, com minhas luzes e minhas sombras, me contento em fazer coro ao grande poeta Amado Nervo, que disse:

*Certo, aos meus viços vai se seguir o inverno,*
*Mas Tu não dissuste que maio seria eterno.*
*Achei sem dúvida longas as noites de minhas penas*
*Mas não me prometeste Tu só noites boas,*
*E, por outro lado, tive algumas santamente serenas,*
*Amei, fui amado, o sol acariciou minha face.*
*Vida: nada me deves! Vida: estamos em Paz.*

La Plata, Argentina, 5 de abril de 1984.

# Introdução

**SOBRE A VIDA**

É porque estou e porque sou profundamente ligado à vida que escrevo sobre a morte. Escrever sobre a morte é de alguma forma poder confrontá-la, não sei se face a face, mas pelo menos de viés, embora sua verdadeira fisionomia esteja sempre de algum modo irremediavelmente encoberta. Talvez por esse motivo tanto tenho adiado o início deste livro. Afinal de contas, eu poderia mudar o tema. Não se trata, no entanto, de teimosia diante do mais humano e interrogativo desafio. Não foi por acaso que um dia escrevi sobre abandonos em um grupo de psicodrama. Sentimentos de abandono trouxeram-me por instantes, no plano da transferência, a vivência de estar morrendo, enfim, de vida e de amor irrecuperáveis. Houve um tempo muito depois que tais sensações puderam ficar razoavelmente separadas dentro de mim e integradas à compreensão de dores tão distantes quanto mal pressentidas, que tornavam o presente bem mais difícil de ser vivido e suportado. Nasceu daqui o meu desejo de escrever sobre a morte. E, como quase sempre acontece na prática das psicoterapias, pude prestar mais atenção ainda a quanto ela está presente explicitamente ou sob variados disfarces no processo psicoterápico das pessoas em seu cotidiano, interferindo de modo definitivo no desempenho de tantos papéis. Penso hoje que sua resolução é a vida em todas as suas possibilidades, presumível ou imponderavelmente incluindo até a probabilidade e a prova do sofrimento. Uma gestação começou daí e, em consequência, fiquei grávido de ideias que ganhavam corpo a cada dia e se recusavam a percorrer o caminho aparentemente curto que as separavam de um caderno de rascunho.

Uma noite sonhei com a insônia e acordei impulsionado para escrever de madrugada. E aqui está. Aqui estou. Talvez aqui, pelo menos um pouco, estejamos todos: o temor e o enfrentamento que leva a alguns a dúvida que formula o viver apenas como um delírio coletivo diante da única certeza comum ao ser humano, a sua finitude; e a outros a própria raiz e razão da plenitude de ser e do ser em cada momento, do que chamamos existir ou existência, verbo e substantivo a um só tempo uníssonos e simultâneos.

### CAMINHOS

Decantemos, a bem da clareza e da metodologia, o curso de meus tropeços, com a morte do plano deste livro. Total independência é, porém, inviável.

De minhas reminiscências, aos 4 anos, a morte de minha avó. O choro. Os gritos. A organização fúnebre das coisas. E eu saindo pela janela com medo de passar pela sala. Suas órbitas vazias me perseguem trinta e quatro anos depois em uma sessão de minha terapia. A imagem onírica dramatizada e meu sentimento real de pavor acabam me levando a afastá-la em cena — e, com ela, umas tantas paixões impossíveis, cujas marcas persistentes teimavam em se repetir.

A morte me vem como um filme. Tenho 8 anos e, com Tereza, um pouco mais velha, prima e irmã postiça, enterro pela primeira vez os meus mortos — um coelhinho branco da criação do quintal, numa caixa que fizemos de casca de palmito amarrada com barbante, no jardim da casa. Nem uma lágrima. Travessura divertida partilhada com risos por toda a família.

Vinte e cinco anos depois estou só num quarto de hospital com Tereza. Nem uma palavra é dita. Apenas nos olhamos de mãos dadas. Em São Paulo somos os únicos parentes um do outro, com exceção de seu marido e filhos. Tinham aqui se fixado havia menos de um ano. Um gânglio, a biópsia, a cirurgia e o câncer inoperável. Volto para casa e me deito, peito nu, na noite quente de verão. Acordo em plena madrugada assustado e batendo queixo de tanto frio. Tenho certeza de que a noite é quente. Apanho um cobertor, cubro meu corpo, e o meu medo e o frio não passam. Passa, isso sim, um pensamento: "Tereza morreu". Uma quase certeza. Não é sonho. Viro para o outro lado e durmo. Acordo com o telefone pela manhã. Sou informado de que sua morte ocorrera aproximadamente àquela hora. Nunca tivera outras vezes sensações sequer parecidas e tão assustadoras. A morte como que me avisava.

Multidões silenciosas passaram três vezes às minhas vistas, quase na minha porta no Rio de Janeiro da minha infância e eu não quis vê-las. Acompanhavam os funerais de Carmen Miranda, de Francisco Alves, cujas vozes eu ouvia nos programas da Rádio Nacional, e de Getúlio Vargas, quase meu vizinho no Palácio do Catete. Eu sentia a multidão, ouvia os passos e não sabia que participava da História. Eu temia intensamente a morte. E havia no ar certa morte coletiva.

Aos 12 anos fui forçado a comparecer a meu primeiro enterro real. Aos anteriores os adultos apenas me ameaçavam: "Vou levar você para beijar o pé do defunto e só assim o medo passa". Eu ficava paralisado. E, além de acreditar que eles seriam até capazes de me forçar a tal, sentia-me também envergonhado por ter medo, humilhado mesmo. Mas naqueles doze anos em que conjuguei o verbo evitar, entra em minha sala de aula um padre e me escolhe junto com outros quatro, justo eu, para representar o colégio no velório do diretor de outra escola. Como iria eu admitir para os meus pares o meu terror? Fui. Impassível. Fingindo a maior naturalidade. E não senti medo. Ou ele estava escondido demais. Essa morte, pelo contrário, encheu-me de alegria, porque acreditei ter perdido o medo. No dia seguinte, comecei pela primeira vez a considerar a hipótese de vir a ser médico — meu esforço de superação da morte.

Secretamente, antes do início das aulas, logo após meu ingresso na faculdade, fui sozinho até o anfiteatro de Anatomia para verificar o estado do medo.

Já formado, depois de passar por tantos números do circo de horrores da profissão, em hospitais e prontos-socorros (antes de psiquiatra fui clínico), estava eu de plantão e tive de atravessar um corredor escuro para constatar um óbito. O mesmo sentimento de terror infantil se apossou de mim no trajeto e só cessou quando fechei os olhos vítreos do morto.

O Drama começa, portanto, em mim. Estou diversas vezes diante da morte e, através dela, desenvolvo até alguns papéis, exorcizando fantasmas antigos, os meus e os dos outros. Observo a mim mesmo como num espelho, um pouco mais distanciado, o que me permite tomar o papel de meus clientes e redescobrir sob esse prisma da morte a nossa essência humana comum. É por essa razão que inicio as minhas reflexões pensando na morte como o destino humano. Tais reflexões acabaram me levando a questionar a espontaneidade do ato de morrer.

O leitor talvez estranhe, nesta primeira parte do livro, que diante de tal tema haja pouca ou nenhuma referência ao pensamento filosófico, que certamente muito o enriqueceria. Para mim é uma questão de manejo. Não posso mover-me na filosofia com o mesmo relativo conforto com que me movimento na área específica das psicoterapias e particularmente do psicodrama, onde ainda hoje muitas vezes me debato. Tenho mesmo certa má vontade perante a inundação de psicologismos nas diversas áreas não específicas das Ciências Humanas e das Artes. Com a intenção de ilustrar melhor os seus estudos, tanto professores de literatura quanto artistas e sociólogos cometem pequenos e grandes atentados — sem perceber que assim o fazem — contra os princípios mais rudimentares da psicologia e das psicoterapias, que em nada os dignifica. Assim, por não estar afeito à mecânica e à funcionalidade da metodologia e ao discorrer filosófico, não quero repetir o mesmo erro "praticando" uma filosofia silvestre. É uma questão de bem entender o seu ofício. Um marceneiro sabe muito bem onde serrar a madeira e onde pregar o prego. Eu mal entendo de serrotes.

O esforço de entender a atitude do homem diante da morte, a partir do que eu observava na sala de psicodrama, acabou me levando a estudá-la na História. A economia de referências à morte na literatura sobre psicodrama, uma quase ausência, encaminhou meu interesse para outras fontes. Salvo pequenas alusões em Bouquet, Pavlovsky e Naffah Neto e uma breve leitura lacaniana, mais que psicodramática, de Lemoine, mais voltada para aspectos do complexo de Édipo, nada encontrei sobre o tema entre os psicodramatistas. Por essa razão e porque em reportagem sobre a morte, no jornal *O Estado de S. Paulo,* em fins de 1982, li a afirmação baseada em depoimentos de psicoterapeutas, parcialmente transcritos, em que se dizia da raridade da abordagem do tema nas salas de psicoterapia, fiz questão, porque é diferente a minha experiência pessoal, de exemplificar abundantemente, talvez até inflacionando com isso este livro, minhas considerações, com muitos fragmentos de sessões de psicodrama. Quis com isso chamar a atenção não só para a oportunidade da temática como também para a sua evocação cotidiana na vida profissional de um psicodramatista, o que torna inexplicável a sua lacuna no psicodrama.

A correlação entre o esboço histórico e o presente vivido no cenário psicodramático acabou desembocando na necessidade de entender a simbologia e a compreensão da morte, que vêm a se constituir no capítulo seguinte, sem o que não seria possível avançar em nenhuma conceituação à luz da teoria do psicodrama.

Nos Capítulos 4 e 5 trato do intercruzamento da morte com separação, paixão e sexualidade, o que me obrigou a rever diversos pontos obscuros e controversos do psicodrama, quais sejam, transferência, papéis, cacho de papéis, foco, catarse de integração e, mais particularmente, o que se convencionou chamar de "papéis sexuais" e seu desenvolvimento. Tais reflexões convergem para o capítulo final, que, mais que conclusões, pretende levantar questionamentos, num trabalho que eu desejaria estar sempre em aberto, porque sei não poder jamais ser considerado acabado e definitivo.

Quero destacar, por fim, a importância das contribuições dos psicodramatistas brasileiros em meus estudos, dos quais me utilizei inúmeras vezes para a elaboração deste livro. Vários deles, pertencentes como eu à Sociedade de Psicodrama de São Paulo e a outras instituições formadoras de psicodramatistas, escreveram monografias em que refizeram muitos conceitos morenianos pouco claros e criaram outros, com isso muito me auxiliando a compor com mais esta peça o imenso mosaico incompleto do psicodrama criado por Moreno.

* * *

Nota: acrescentei ao fim do livro, a título de apêndice, três conferências posteriores, que preferi manter tal qual as escrevi para manter sua unidade.

# 1. Morte, destino humano: morte, ato espontâneo?

— Hoje eu quero conversar com você sobre a morte. — Assim me fala Beatriz no primeiro minuto da sessão.

Preciso, Beatriz, para melhor vê-la, descer primeiro ao inferno, como Dante, para chegar ao céu do encontro. E, como Moreno, olhar bem nos seus olhos, que me parecem agora um quadro de Escher — olhos cujas pupilas são representadas por caveiras. Nenhum vaticínio, apenas neles o meu próprio reflexo. A morte, Beatriz, nós o sabemos, está presente como destino no fundo de todos nós e, neste momento, se eu a negasse em mim, não poderia me aproximar de você e de suas indagações com minhas próprias indagações.

Fosse eu Brás Cubas e este trabalho minhas memórias póstumas, talvez eu pudesse lhe adiantar algo de concreto. A morte que para nós existe visível é a do outro, e nós, homens, somos eternos inconformados, pois, como diz uma crônica do Verissimo, "o que nós não podemos conceber é não ter memória da nossa morte... Passamos a vida inteira nos preparando para a nossa morte, e quando ela vem, não podemos assisti-la".

Segundo o jornal *O Estado de S. Paulo*, Beatriz, apesar de tudo, morrerão na Terra, este ano, 70 milhões de seus 4,1 bilhões de habitantes. E isso se não forem disparados contra nós esses milhares de artefatos bélicos, das Exocets da vida, que já fizeram sua triste estreia nas Malvinas, à requintada bomba de nêutrons, que destrói o ser humano preservando o inanimado. Diante de tal evidência, não há como negar a morte e bem fazemos nós em discuti-la.

"No dia em que o matariam, Santiago Nasar levantou-se às 5h30 da manhã para esperar o navio em que chegava o bispo."[3] De nada adiantou saberem, e quase toda a cidade sabia e anunciava que dois homens o aguardavam para assassiná-lo. Não se cogitava que, toda a cidade o sabendo e anunciando, Santiago também não o soubesse. Não foi avisado. O dia para ele era o de esperar o navio do bispo. Como num dia qualquer, levantou-se às 5h30 e, na mesma manhã, "caiu de bruços na cozinha". É como se, reproduzindo Bergman em *O sétimo selo*, jogássemos xadrez com a morte. Por isso lhe conto essa história colombiana, Beatriz. Ela se parece com milhares de outras histórias, não acha?

A morte está onde menos esperamos que ela esteja. Tanto na música dos Beatles como no samba, por exemplo. "Eleanor Rigby", composição de John Lennon e Paul McCartney, de 1966, conta a solidão e a morte de uma mulher que vive num sonho, desaparecendo com ela o seu próprio nome. Os Beatles chamam a atenção para as pessoas solitárias que morrem solitariamente. No mesmo ano, compunham "Yellow submarine" (quem não se lembra?), e diziam que "todos nós vivemos num submarino amarelo".

Nelson Cavaquinho, renomado sambista, assim expressava um pouco da alma popular brasileira:

> Em Mangueira quando morre um poeta todos choram.
> Vivo tranquilo em Mangueira porque
> Sei que alguém há de chorar quando eu morrer.[4]

> Sei que estou no último degrau da vida, meu amor.
> Já estou envelhecido, acabado,
> Por isso muito eu tenho chorado.[5]

E este primor macabro:

> Quando eu passo perto das flores
> quase elas dizem assim:
> "Vai, que amanhã enfeitaremos o seu fim".[6]

Se os Beatles expressam seus sentimentos pelo morrer solitário, Nelson Cavaquinho confessa sua necessidade de ter quem chore por ele, embora ele próprio chore sua morte. No entanto, nosso sambista está em boa companhia. A peça *Amadeus*, de Peter Shaffer, nos mostra um Mozart, séculos antes, aterrorizado e perseguido por uma figura cinzenta no fim de sua vida, enquanto compõe de encomenda uma missa de réquiem que acaba acreditando ser a da sua morte.

Curiosamente, uma música folclórica americana e um samba brasileiro de Noel começam com as mesmas palavras:

And when I die...[7]

Quando eu morrer
não quero choro nem vela
[...]
Só quero choro de flauta
Violão e cavaquinho.[8]

É natural. Sentimento não conhece latitudes; logo, a música, uma de suas mais bonitas expressões, terá necessariamente de se repetir. E aqui, nesse samba de Noel, surge a preocupação com os ritos da morte. O pedido de samba no velório vem até sendo cumprido nos funerais de músicos e de compositores famosos, como Adoniran Barbosa e Cartola, costume com alguma semelhança com o das bandas de *jazz* presentes nos enterros dos negros de New Orleans.

São incontáveis os exemplos na História da Música que estão estreitamente vinculados à História das Mentalidades e aos costumes. As antigas missas de réquiem (de *requies*, repouso) têm seus correspondentes modernos até no *jazz*: "Réquiem", do pianista Lennie Tristano, em memória do saxofonista Charlie Parker; "Remember Clifford", de Jon Hendricks e Lenny Jolson, lembrando o falecido músico Clifford Brown; "Funeral" (de Raf), "A chair in the sky" e "Goodbye pork pie hat", as duas últimas de Joni Mitchell, aproveitando a música composta pelo próprio músico homenageado *post--mortem*, o baixista Charles Mingus, são alguns exemplos.

Ainda entre nós, na música popular moderna estão presentes traços de costumes tradicionais e regionais no que diz respeito a ritos fúnebres: Em "Sentinela", de Milton Nascimento e Fernando Brandt:

Morte, vela: sentinela sou
Do corpo desse meu irmão que já se vai.
Revejo nessa hora tudo que ocorreu.
Memória não morrerá.
Vulto negro em meu rumo vem
Mostrar a sua dor plantada nesse chão.
Seu rosto brilha em reza, brilha em faca e flor
Histórias vem me contar
Longe, longe, ouço essa voz
Que o tempo não levará.

Ou na "Suíte dos pescadores", de Dorival Caymmi:

[...]
É tão triste ver
Partir alguém
que a gente quer
com tanto amor
[...]
Uma incelença entrou no Paraíso!
Adeus, irmão, adeus
Até o Dia do Juízo.

Ambas, poeticamente, falam de velório com termos regionais próprios. A primeira insiste na persistência da memória diante da impossibilidade da persistência do corpo; na segunda, também chorando a ausência e desejando o reencontro perdido, o compositor coloca para si próprio a questão da sua igual mortalidade.

Já que estamos falando em música, Beatriz, que acompanhamento dar a tudo isso? Até aqui fica evidente que a questão da inevitabilidade da morte está inscrita não só na história de cada homem, como na própria História, como ficará mais claro no desenvolvimento deste livro. Em consequência, os sentimentos do homem, claramente expressos ou negados, que desse destino decorre, aparecem em qualquer manifestação ou atividade humana. A Arte é um excelente porta-voz, profundamente enraizada que está na História, da qual jamais poderá desvincular-se.

As representações da morte ultrapassam os simples limites do antigo e do moderno. Apesar da predominância em cada época de determinada maneira de tratá-la, sempre existiram e existirão polaridades em sua perspectiva. Se por um lado Edgar Allan Poe em meados do século passado, época em que a morte era tingida com tinturas excessivamente românticas, em um conto de horror, representa a morte como um pêndulo com o formato de uma lua crescente, feito de aço afiado que inexorável e muito lentamente vai descendo até o peito de uma vítima imobilizada e aterrorizada para dilacerá-la[9], por outro lado, nos dias de hoje, em que a morte é cada vez mais escondida e evitada, Bob Fosse, em seu filme *O show deve continuar* (*All that jazz*), em uma sequência tão linda quanto inesquecível, fotografa o encontro final de seu personagem com a morte, uma mulher belíssima e irresistivelmente sedutora, no mais absoluto silêncio. É evidente, pois, que o homem projeta, nega ou desloca sua angústia de mortal em tudo aquilo que o cerca quando não pode claramente expressá-la.

Busquemos ainda no cinema outro exemplo: *Blade runner*, de Ridley Scott. A ação é situada no ano 2019. Androides criados pelo homem por mutação genética rebelam-se porque têm uma vida muito mais curta do que a do seu criador. Acabam por fazer as mesmas indagações sobre vida e morte que os humanos. Pedem aos geneticistas uma providência que lhes prolongue a vida. O curioso é que nesse filme não só a projeção da angústia de morte se faz sobre o android como também no futuro. Ou seja, nenhuma tecnologia será capaz de modificar nosso destino.

Em uma missa rezada nos subterrâneos do Dops no período negro e recente da repressão política brasileira, Frei Betto faz o comentário da leitura evangélica. Nesse comentário, diz textualmente: "[...] para

Marx, a alienação cria o descompasso entre a nossa existência e a nossa essência. Não vivemos o que somos e nem podemos ser o que gostaríamos de viver. Para nós, cristãos, esta adequação entre a essência e a existência é a santidade".[10]

Com os olhos de psicodramatistas, poderíamos dizer talvez que como seres humanos não podemos desempenhar todos os papéis que gostaríamos de viver. Que a alienação de nós mesmos, incluída aqui a alienação de nossa morte, não só cria também o descompasso entre nossa existência e a nossa essência como também seu maior ou menor grau depende do *quantum* de espontaneidade passível de ser mobilizada, o que permitirá ou não a criação e o desenvolvimento mais ou menos criativo de um maior ou menor número de papéis. Para nós, psicodramatistas, essa harmonização entre essência e existência seria a saúde mental. Assim como o nascimento, a morte também é ou deveria ser um ato espontâneo. Ou o espontâneo do ser humano seria o lutar permanente contra a morte? Ou ambos?

Considerando a concepção moreniana do nascimento como um ato espontâneo resultado de um longo aquecimento correspondente à gestação, e o próprio ciclo vital do ser humano, seria legítimo supor ser a vida também, num plano existencial, um processo de aquecimento para outro ato espontâneo, a morte. Entretanto, podemos dizer que a morte é um ato espontâneo?

Ora, Moreno formula seu deslumbramento em face do nascimento dizendo que, dadas as condições adversas em que se dá a passagem do mundo intrauterino para o mundo exterior, entre as quais são gritantes as diferenças de proteção e de agressão para a sobrevivência, "é quase um milagre o fato de ele [o bebê] nascer vivo"[11], e que esse milagre ocorre graças à espontaneidade que existe nele.

Manter-se vivo também depende de atos espontâneos executados sucessivamente através da existência: comer, reagir a doenças, curar-se, desviar-se de um carro, não ceder a um impulso suicida e assim por diante, infinitamente. Nesse sentido, o viver é um nascer contínuo.

Por outro lado, a espontaneidade, na definição que Naffah Neto lhe deu, supõe não só a própria ação como também a expressão de compromisso da relação sujeito-mundo, para cuja interiorização e recuperação um esforço está sempre presente e renovado, original, e como tal inclui a temporalidade, não podendo se desvincular da categoria momento. Ora, a morte é o desprendimento definitivo da ação e a ruptura final da relação sujeito-mundo. Deixando de existir no real, persistimos apenas na memória, na fantasia e talvez no inconsciente do outro. Teremos de analisar, portanto, a própria ação de morrer, o momento em que essa ação se dá e a possibilidade de ser presença atuante e participante da própria morte sem perder nesse ato o compromisso da relação com o mundo.

Assim, se o ser humano, no exato momento de sua morte, momento esse que corresponde ao desprendimento de sua ação no mundo, consegue atuar comprometidamente com esse mundo, integrante e quase não integrante dele, ainda se tornando presente o quase ausente, realizará seu último ato espontâneo — e como tal conferirá à morte o mesmo cunho de espontaneidade que selou seu nascimento.

Dessa maneira, se há um nível de espontaneidade, o instintivo, próprio da criança e do homem primitivo, que está ligado diretamente à sobrevivência e, portanto, à luta permanente contra a morte, há outro, mais fino, mais elaborado, da espontaneidade criativa, não automática, dependente da memória, da consciência e da historicidade e caracterizada como esforço, que permitirá ao homem o ato espontâneo de morrer.

Cabe ainda levantar mais uma questão que diz respeito aos iniciadores e ao aquecimento do morrer.

Com muita felicidade, Naffah Neto, revisando Moreno e redefinindo aquecimento e iniciadores, assim se expressa:

> [...] no momento em que o indivíduo se abre à própria situação e deixa-se penetrar por ela, [...] forma-se entre seu corpo e a situação uma rede de significações, onde todos os seus sentidos e os vários segmentos do seu corpo passam a articular-se e a rearticular-se numa totalidade expressiva [...]. Assim, pois, o aquecimento não é um processo mecânico, mas representa um esforço de abertura à situação, onde todos os

sentidos funcionam como iniciadores [...]. Poderíamos dizer, então, que o iniciador fundamental é a própria percepção [...].[12]

Desse modo, poderíamos também dizer que o processo de aquecimento de morrer se inicia a partir da percepção de um conjunto constituído, por exemplo, pelas percepções cenestésicas resultantes de uma doença e de sua repercussão no mundo circundante, envolta em um campo de memória para fatos semelhantes em que, o agora jacente, desempenhou algum papel nesse mesmo mundo circundante, um contrapapel. Ou, então, pela percepção de algum perigo mortal vizinho, instintivamente, ou enriquecida pela memória e pela experiência.

Permanece, todavia, o mistério, ainda insolúvel, sobre o que determina em dado momento o início do aquecimento do morrer, assim como paira o mesmo mistério, no outro polo, sobre a deflagração de um trabalho de parto.

Ilustremos tais legendas com alguns trechos de sessões de psicodrama.

Renata é uma mulher jovem que foi operada há pouco tempo. Em vigília, fora da sessão, viu uma imagem como se estivesse num sonho: um carro em marcha à ré acende as luzes traseiras vermelhas e brancas. Peço que feche os olhos e tente novamente visualizar a imagem. À medida que a imagem vai tomando corpo, Renata está no pós--operatório e prefere não dramatizar, vou solicitando inversões de papel[13] com cada elemento da imagem, e seus significados vão se delineando: o carro em marcha à ré é a presença da morte impedindo que Renata siga em frente; as luzes vermelhas representam o sangue perdido na cirurgia e as luzes brancas, que inicialmente representam um fantasma, vão aos poucos se intensificando e o seu brilho passa a representar a vida. Esse brilho vai como que preenchendo o seu interior (Renata ainda está de olhos fechados), seu rosto se ilumina e ela passa a "ver" apenas o brilho intenso, sentindo-o penetrar em cada partícula de seu corpo.

Marta tem 27 anos e está grávida do segundo filho. Nono mês. O nenê custa a nascer. Tem medo de precisar ser submetida a uma cesariana e de morrer durante a cirurgia. Como tem dificuldade de movimentar-se, proponho um trabalho com imagens internas, cuja sequência e desenvolvimento, em que se incluem inversões de papel, aqui se seguem.

Surge um caminhão dirigido pelo pai de uma amiga. Marta não cabe no caminhão. A mãe de sua amiga está sendo levada ao hospital para fazer uma cirurgia plástica. Marta protesta porque a mãe da amiga é muito moça e em seu entender não precisa ser operada. Como não há lugar, Marta é deixada sozinha em um pavilhão amarelo. Fora é noite muito escura. Olhando o céu, vê um risco vermelho que se transforma num tronco da mesma cor, com as raízes para cima, de onde sai um filete de sangue. É um canal vaginal estreito. O nenê de Marta está dentro do útero e, na vagina, há uma trouxa de pano empurrada por uns tios velhos que não deixam o nenê sair. A trouxa, ao se abrir, revela Marta em seu interior. O útero onde está o nenê é seu próprio útero. Marta puxa o nenê para a vagina e ficam os dois empacados, até que ela, em um movimento rápido, dá passagem ao filho, que nasce, entrando em seu próprio útero. Tem uma sensação ruim. Não quer ficar lá dentro. Escorrega e também sai. Deixa o corpo de uma mulher. Reconhece ser sua mãe morta. Chora e lembra-se das fotografias de uma cesariana publicada em uma revista que folheou no dia anterior e que lhe davam a impressão de que a mulher fotografada estava morta. Chorando, olha o corpo da mãe e se agarra a ele. O corpo está frio. O seu nenê recém-nascido está sozinho. Não quer deixá-lo assim, como sua mãe a deixou quando faleceu (Marta tinha 3 anos). Chora ainda abraçada à mãe e a empurra suavemente para o nada, o branco, onde ela cai mas não se machuca. E sobre ela se fecha o céu negro. Chora copiosamente, lembrando que é dia do aniversário da morte dela e que tinha querido que seu filho nascesse no mesmo dia (a data-limite provável do parto era o dia anterior). Sente paz e alegria porque seu filho está vivo. Sente contrações. Acaricia a própria barriga — o filho. No dia seguinte, vem à sessão sem angústia. Sente-se excitada por causa do nenê que vai chegar. Pela primeira vez tem a sensação de que espera realmente o filho.

Acaricia seu anel de pedra lisa e preta. Diz que esse anel me representa; e, como o tem contra a luz, ele lhe parece branco. É como me sente e percebe, e acha que é mais fácil aproximar-se de mim do que imaginava antes. Dois dias depois nasce seu filho. Cesariana.

Clarissa parara a terapia havia um ano. Todos concordamos com sua saída — o grupo e eu. Volta a me procurar desesperada. Bate na porta de minha sala. Não marcou hora. Pega-me pelo braço: "Me ajude. Estou em surto". Realmente me assusto com o que vejo. Clarissa não está brincando e é urgente. Seu contato com a realidade é frouxo. Está muito excitada. Não para de andar. Caminho junto e ao lado. Revela-me fragmentos do que lhe acontece. Quer juntar a vida com a morte. Quer que eu percorra o mesmo caminho que ela. Acredita que tem poderes excepcionais. Quer ver imediatamente um namorado que mora em outro país. Há alguma coisa secreta que não me conta. Olha-me como se se despedisse de mim. Meu trabalho na sessão é o de não desconfirmá-la, ao mesmo tempo procurando lhe dar algum referencial de realidade. Ela me chama, divertidamente, de "Dr. Pé no Chão". Clarissa aceita ser medicada. No dia seguinte, torno a vê-la no consultório. Clarissa voltou ao seu estado habitual. Chora e me abraça. Explica: "Ontem, quando vim aqui, eu tinha certeza de que já estava morta. Eu via você com os olhos de uma morta. Foi horrível!" Conversamos então calmamente e Clarissa começa a elaborar verbalmente diversas experiências pelas quais havia passado após a interrupção da terapia, na busca de seus caminhos de vida. Não quer morrer agora e acha que esteve muito perto da morte.

Henrique é protagonista de uma sessão de grupo em que predominam suas sensações corporais, só conseguindo dar expressão a elas. Não fala. Parece reverenciar algum estágio pré-verbal de sua existência. Seu corpo se enrosca e aos poucos se solta e, em pé, faz grande força contra a parede e lentamente vai libertando os movimentos, até ficar solto no meio da sala, ocupando o maior espaço possível. Depois comenta que a sensação que teve foi a de nascimento, e que aquilo que empurrava (simbolizado pela parede) era uma tampa de caixão.

Cabe aqui um pequeno processamento de alguns pontos destas sessões.

Na primeira, tentando, como Moreno, dar coragem para Renata "sonhar" novamente, a visão — possibilidade — de sua morte surge claramente e, com ela, a ruptura da relação de Renata com o mundo, representada por um carro em marcha à ré. Não só não há um prosseguimento como também se manifesta um retorno (marcha à ré), como se diante da morte houvesse um passado a ser recuperado, assim como o sangue perdido, de cuja transfusão dependesse a vivificação do presente e do agora. É nesse momento que sua espontaneidade brilha a ponto de traduzir-se em vida e de incendiá-la com sua luz, abrindo para ela uma nova dimensão existencial, mais que significando a simples luta pela sobrevivência.

Clarissa já não "vive" mais, está aquém da realidade, imersa no fantástico, num papel jamais experimentado no real pelo ser humano — o papel de morto, papel unicamente psicodramático (imaginário). Sua percepção transferencialmente comprometida inicia um aquecimento para a morte que, por realizar-se apenas no imaginário, resulta na tomada de papel de morto, desprovido de espontaneidade, por fechar-se à relação com o mundo, com o qual nesse momento não estabelece nenhum vínculo de compromisso.

Nascimento e morte estão representados em Henrique — a espontaneidade do nascimento confundindo-se com o esforço de superação da morte (luta pela sobrevivência) e com o apego à vida. Esse nascer *in extremis* está presente em frequência considerável em muitas e muitas cenas em que é dramatizado um nascimento em psicodrama. Algumas vezes o bebê corre perigo de vida, outras a mãe, ou os dois, em todos os cursos da fantasia.

Novamente morte e nascimento se superpõem até na data e na expressão "aniversário de morte", no caso de Marta. As relações que aqui se estabelecem tornam-se mais complexas por se intercruzarem em outros papéis. A apreensão e o medo da morte têm suas raízes transferenciais na relação filha-mãe morta. Falta espontaneidade a Marta no papel de mãe (ou de grávida) até para a espera. Enquanto ela, em sua fantasia, não se dispõe a renascer a despeito da mãe morta, permanece como o próprio obstáculo que impede a deflagração do processo de parto do seu filho — impede o aquecimento e portanto a ação. A partir do momento em que se dispõe ao renascimento, permite o nascimento do seu bebê e se permite sepultar a mãe. A força vital supera a morte. Só então pode se voltar para o real e relacionar-se com o filho dentro de si mesma e até comigo de outra forma em razão do cacho (*cluster*) de papéis.[14]

Tal apanhado não explica nem modifica o destino humano, tenta apenas retratar algumas de suas linhas neste meu longo solilóquio decorrente de seu desejo (Beatriz) de falar comigo sobre a morte, que de seu reduto nos observa, tal qual o bacilo da peste que "não morre nem desaparece, fica dezenas de anos a dormir nos móveis e nas roupas, espera com paciência nos quartos, nos porões, nas malas, nos papéis, nos lenços — e chega talvez o dia em que, para desgraça e ensinamento dos homens, a peste acorda os ratos e os manda morrer numa cidade feliz".[15]

Para prosseguirmos, verificando o quase total silêncio dos psicodramatistas sobre a morte, tentemos procurá-la nos desvãos da História, de onde também ela nos espreita, e onde talvez seja possível compreender um pouco nossa atitude — de medo, de esquecimento e de negação — perante ela.

## 2. O homem e a morte: esboço histórico

Assim como o "psicológico não passa de uma instância do existencial"[16], como diz Bustos, o existencial, por sua vez, não pode prescindir, em seu alimento, do soro da herança histórica do homem, sua tradição e sua cultura. Deixemos, portanto, Beatriz no Capítulo I, ou em companhia de Dante e, em vez de percorrermos céu e inferno, vamos traçar uma pequena trajetória através do purgatório da História, que contém sem dúvida um pouco dos dois.

Se Dante, em sua viagem, fez-se acompanhar por três guias, eu tenho apenas dois, em se tratando especificamente de historiadores: o francês Philippe Ariès e o holandês Johan Huizinga, o primeiro destacando-se no gênero histórico conhecido como História das Mentalidades ou História dos Comportamentos, ou, ainda, História das Atitudes; e o segundo, um precursor desse gênero.

Uma retrospectiva histórica, e estamos falando do Ocidente, demonstra que a partir da Alta Idade Média até meados do século XIX a atitude do homem diante da morte, embora tenha sofrido importantes e profundas modificações, ateve-se a um processo de mudança lento e imperceptível. A partir do século XX, tais mudanças caracterizaram-se pela rapidez com que se efetuaram, obrigando o ser humano a um esforço maior de adaptação em face de tais transformações.

Reis como Carlos Magno e Artur, que se tornaram legendários por sua coragem e heroísmo, não hesitavam em atirar-se ao corpo de um companheiro morto no campo de batalha, chorando desesperadamente em profundos lamentos de dor, rasgando vestes e arrancando os cabelos (trata-se de uma referência histórica e não de um recurso de linguagem), de forma muito assemelhada aos excessos românticos do luto nas atitudes das mulheres do século XIX, incluindo até o desmaio — que os médicos de hoje classificariam como histeria.

É claro que essa forma de se manifestar não se manteve de maneira uniforme nesse período (entre o século XII e o século XIX); mas a persistência ou o retorno de formas antigas de exteriorização do luto não eram estranháveis por nossos antepassados.

Normalmente, excetuando-se a morte de caráter súbito ou a peste, que Ariès chama de morte terrível, o homem era avisado de sua morte e, sabendo disso, tomava suas decisões diante dela. Tanto Lancelot quanto Isolda deitam-se mansamente para morrer. "Esta crença de que a morte avisa, que atravessou os séculos, sobreviveu por muito tempo nas mentalidades populares."[17]

Esta característica gerou duas atitudes importantes. A primeira, salvo morte súbita, era a de esperar a morte no leito. A segunda, a de que a morte era "uma cerimônia pública e organizada"[18], para a qual o próprio moribundo contribuía desempenhando um papel ativo. Era simples, sem deixar de ser triste, não o sendo negada.

Na morte de D. Quixote, o médico lhe avisa do perigo que corre o seu corpo e lhe recomenda que cuide da salvação de sua alma. D. Quixote toma a iniciativa de chamar o cura e o testamenteiro, e ainda por três dias se deixa cercar pelos amigos e pela sobrinha até a morte posta em sossego.

Há pouco tempo morreu o pai de um amigo meu. Morreu conversando com o filho, lembrando, saudoso, dos amigos da Força Expedicionária Brasileira (FEB) que não via havia alguns anos; enumerava um por um à medida que o nome lhe acudia à memória: "Diz para Fulano que mandei um abraço. E para Sicrano..." Morreu com a saudade.

Quincas Berro D'Água, inveterado boêmio da Bahia de Jorge Amado, não tem a mesma sorte. Morre na cama e, de repente, sua família até veste terno e gravata comportados no defunto. Todavia, é preciso que seus amigos da noite e do copo, como que adivinhando por que porta ele gostaria de sair do mundo, lhe tirem o paletó e a gravata e, após percorrerem com ele os bares da cidade, embarcam em um saveiro, do qual o próprio Quincas se atira ao mar: "[...] Quincas ficara na tempestade, envolto num lençol de ondas e espuma, por sua própria vontade".[19] Morte digna de cordel.

Outra característica que perdurou da Idade Média até o fim do século XVIII, e que "não existia na Antiguidade pagã e mesmo cristã"[20], era o da coexistência entre vivos e mortos. Os antigos temiam os mortos e a possibilidade de sua volta perturbando os vivos. Embora a morte para eles também fosse natural, muitos de seus ritos tinham o sentido de manter os mortos a distância. Por essa razão, os cemitérios eram construídos fora das cidades. O mundo dos mortos era separado do mundo dos vivos.

Na *Odisseia* de Homero, Ulisses, querendo voltar para junto de Penélope, precisa interrogar a alma de Tirésias, o único que depois da morte mantém o dom da predição. Para tal, Circe lhe indica a morada de Hades e a forma de invocá-lo. As almas dos mortos acorrem ao sangue dos animais sacrificados por Ulisses para chamá-los: "Acudiam em chusmas de todos os lados da fossa, soltando grande clamor, e eu me quedei pálido de terror [...]. Eu, tirando de junto da coxa minha cortante espada, ali permaneci, impedindo que os mortos, cabeças vácuas, se aproximassem do sangue, antes de eu ter interrogado Tirésias". E mais adiante: "[...] inumeráveis tribos de mortos se reuniram soltando gritos aterradores. Apoderou-se de mim um lívido pavor [...]. Sem tardar, voltei para o mar e ordenei aos companheiros que embarcassem e soltassem as amarras".

Nos terreiros de candomblé brasileiros são efetuados ritos nagô, povo para quem o sacrifício de animais é também revestido de todo um simbolismo ligado à morte e à sua concepção do universo. Para os nagô, a morte é uma mudança de estado, de *status*. O aniquilamento total desperta neles um grande terror, sendo necessário estar pronto e maduro para a morte. A oferenda recria o nascimento e devolve o sangue vermelho ao útero do qual nasceu. Em troca da oferenda, o que se solicita é que as entidades sobrenaturais não venham apanhar a cabeça de alguém.

O que modifica, então, no curso da História, tal terror e tal distância dos mortos?

Por volta do século V, em plena vigência do cristianismo, inicialmente no Norte da África e depois na Espanha, os mártires passaram a desempenhar um papel importante na devoção cristã. O local onde eram enterrados, o mesmo dos pagãos, fora das cidades, passou a ser objeto de veneração. A esses cemitérios extraurbanos não só acudiram as pessoas como a própria arquitetura, já que basílicas passaram a ser construídas nos locais onde jaziam os santos e nas quais os cristãos também queriam ser enterrados. Difundiu-se então o costume do enterro *ad santos*, ou seja, junto dos santos, junto das paredes, do altar-mor, do confessionário. Essa difusão foi tal que se dissolveu a diferença entre abadias cemiteriais (periféricas) e a igreja catedral (urbana), e entre a própria igreja e o cemitério, que passa a designar o átrio (a parte externa) da igreja. Aos poucos os pobres passaram a ser enterrados em valas comuns no átrio-cemitério, e os ricos, no interior da igreja. Entretanto a palavra "carneiro", inicialmente sinônima de átrio, passou a denominar apenas uma parte dele, exterior, constituída de galerias recobertas de ossuários, para onde, aí sim, se destinavam indistintamente ricos e pobres. Ao homem medieval não importava onde estivesse o corpo, contanto que confiado à Igreja.

Ora, esses pátios, onde se situavam, portanto, os carneiros, eram públicos, e ao redor deles foram construídas casas, que vieram a se constituir em bairros e local de asilo. Estabeleceu-se ali com o tempo não só também o comércio como até o costume de reuniões e de danças. Contam os historiadores que as prostitutas tinham ponto frequente lá. Tudo isso à vista dos ossuários, e naturalmente o trânsito era livre e espontâneo a todos, incluindo as crianças. Um jornal da época (século XV) noticia uma procissão num desses cemitérios, composta de 12.500 crianças conduzindo um pequeno mártir do cemitério para Notre-Dame e desta de volta ao cemitério. O mundo dos mortos, que na antiga Roma era terrífico, passa a misturar-se com o dos vivos — a tal ponto se lhes torna familiar.

Tornaram-se, porém, crescentemente incômodos tanto o sepultamento quanto a exumação, em razão do movimento e da algazarra em tal local. Só mesmo a determinação do Concílio de Rouen (1231), e de outro em 1405, proibindo, o primeiro, as danças, e o segundo, as danças e os jogos, foi capaz de diminuir a balbúrdia. E note-se que entre um concílio e outro transcorreram quase duzentos anos.

Outra vertente que abre caminho para o entendimento da transformação da posição existencial do homem diante da morte é a progressão do conceito religioso (cristão) do momento de morrer, representado nas iconografias dos séculos XII, XIII e XIV e nas gravuras em madeira, *ars moriendi*, dos séculos XV e XVI. Se até o século XVI essas representações são limitadas às imagens evangélicas inspiradas pelo Apocalipse, em que Cristo ressurgia no final dos tempos aclamado por seus eleitos, a partir de então, além dessas imagens, o Juízo Final passa também a ser figurado – e com ele a inevitável separação entre justos e malditos.

A interpretação dessas gravuras, em que o morto tinha ao pescoço uma balança pesando as boas e as más ações, e em que apareciam também reproduzidos os livros da vida relacionando a história do indivíduo com todas as outras coisas do universo, levou os historiadores a deduzir que, apesar de o julgamento e a possibilidade de condenação estarem presentes, esse juízo se daria apenas no final dos tempos. Em outras palavras, havia a crença de que entre o dia da morte e o do Juízo existia uma "vida" intermediária no além.

Nos séculos XV e XVI, a mesma análise revela a supressão desse tempo escatológico. O livro da vida torna-se um livro de prestação de contas individual e o momento de morrer confunde-se com o Juízo: nesse instante, ao moribundo é repassada sua vida, e sua reação diante desse repasse determinará o seu destino na eternidade. Portanto, não só se estabelece uma correlação entre morte e biografia como também o ato de morrer se reveste de uma carga adicional de emoção – a vida, rascunhada diante da morte, é passada a limpo. A morte, nas palavras de Ariès, "tornou-se o lugar em que o homem melhor tomou consciência de si mesmo".[21]

Huizinga demonstra que no declínio da Idade Média o pensamento da morte adquire valor ímpar. Há um grande apego à matéria. Dá-se grande importância à não decomposição dos corpos de certos santos, como até se chega mesmo a se revestir de tinta o rosto de cadáveres para conservar as feições intactas, ou a se conservar o corpo em cal até o sepultamento, prenunciando o costume macabro dos americanos hoje, sete séculos depois, de maquilar seus mortos.

Data desse período, séculos XIV a XVI, a grande preocupação com a decomposição do corpo, presente em todas as artes. São frequentes quadros e esculturas tumulares representando um cadáver sendo corroído por vermes. As interpretações acerca desse gosto macabro apontam para a grande paixão do homem medieval pela vida, da qual o apego à matéria é uma consequência. Ora, o grande medo da morte levou a religião a tornar presente o macabro como forma de exortação moral. Uma inscrição sob uma dessas esculturas diz o seguinte (a citação é de Huizinga):

> Dantes eu era bela mais que todas as mulheres.
> Mas por morte tornei-me assim,
> Minha carne era muito linda, fresca e macia,
> Agora tornou-se completamente em cinzas.
> Meu corpo era muito atraente e muito bonito.
> Eu vestia-me muitas vezes com sedas.
> Agora tenho por força de estar inteiramente nua.
> Eu vestia-me de peles várias.
> Vivia num grande palácio a meu bel-prazer.
> Agora habito este pequeno caixão.
> Meu quarto era adornado de finas tapeçarias.
> Agora o meu túmulo está rodeado de teias de aranha.[22]

Lendo essa inscrição, é grande e compreensível o meu espanto, pois, cabe aqui uma pausa, consta de minhas anotações o seguinte fragmento de uma sessão de psicodrama durante uma dramatização datada de 1981, ou seja, aproximadamente entre seis ou sete séculos depois:

Solilóquio da protagonista na primeira cena:

"Estou diante do espelho. Como sou feia. O rosto cheio de espinhas amareladas cheias de pus. Que nojo tenho de mim. Os cabelos desgrenhados. Desajeitada que sou. As roupas em desalinho, amarrotadas. Não quero viver."

Na segunda cena:
"A terra por onde ando é pegajosa. Tenho medo. Estou entrando no cemitério. Estou diante do túmulo de minha tia e vejo a fotografia dela tão linda, tão jovem, a mais linda mulher que já vi. E no entanto acabou. Acabou. A-CA-BOU."

Tomando o papel da tia espontaneamente:
"Sou minha tia deitada numa caixa, um caixão negro. Os vermes me comem o rosto. Os cabelos sem vida soltos do corpo, do crânio. O vestido branco rasgado. Como pude me reduzir a isso?"

Mais adiante, ainda no papel da tia, porém dirigindo-se à sobrinha-protagonista:
"Minha sobrinha, este cadáver não sou eu. Eu vivi. E muito. Amei. Fui alegria. Vida. Por que você não faz o mesmo? Eu não sou estes despojos. O que fui de vida é o que deve viver dentro de você, de mim. Não minha morte. Não estes restos que não têm nada que ver comigo. Levante daí e saia deste cemitério de uma vez por todas. Do lado de fora existe ar. Pessoas. Natureza."

Automaticamente, saindo do papel da tia, diz surpresa (literalmente):
"Minha tia não sou eu. (Pausa.) Que confusão! (Pausa.) Não, eu é que não sou minha tia."

O paralelismo entre o primeiro solilóquio da dramatização e o primeiro solilóquio da protagonista no papel da tia, e o desse conjunto com o relato medieval, falam por si mesmos.

Retomando o marco histórico que há pouco deixamos para trás: era comum nos séculos XII e XIII, por ocasião da morte de uma pessoa de grande destaque social, se ocorrida em outro país, reduzirem o corpo aos ossos, que eram enviados à terra natal, enterrando-se o resto no próprio local da morte com as honras de praxe.

Cavalo Doido, chefe *sioux*, morre em um dos massacres de peles-vermelhas norte-americanos no fim do século XIX. Sua família, no êxodo que se seguiu, leva embora os ossos e o coração de Cavalo Doido, sepultando-os numa curva do riacho Wounded Knee, onde outrora a tribo vivera em paz, tornando-se o local um símbolo da resistência indígena nos Estados Unidos.[23]

A História não se apaga completamente no coração dos homens. Ela persiste no tempo e além de todas as mortes. E, se persiste a História, persiste a Morte e persiste Eros, gravados em seu testemunho.

Do século XVI ao XVIII, aos temas de morte se adiciona uma conotação erótica. São muitas as representações da morte impregnadas de erotismo. Por exemplo, a expressão de gozo de uma santa no ato de morrer, o moribundo enlaçado sensualmente pela morte, e assim por diante. Como compreender o fenômeno?

Abro aqui parênteses para justificar por que me detenho nesse assunto. Mais adiante, no Capítulo 5, apresentarei vários exemplos (trechos de sessões de psicodrama) em que morte e sexualidade se interpenetram.

Fechado os parênteses, reproduzirei resumidamente as hipóteses dos historiadores sobre tal manifestação macabra. O âmago da questão parece estar contido na própria organização da sociedade. O progresso humano sempre decorreu, desde as mais remotas eras, da defesa que o homem instituiu perante as forças da natureza, sem o que nenhuma sociedade poderia ser construída ou mantida. Essa defesa e essa construção foram estabelecidas a partir da minuciosa edificação da moral, do direito, da arquitetura, da religião, da economia, o que permitiu uma disciplina coletiva e uma organização do trabalho, que por sua vez erigiam e fortaleciam os diversos componentes dessa defesa. Tal é, aproximadamente, com algumas modificações minhas, o que diz Ariès sobre o tema.

Dois pontos, entretanto, escaparam a essa pressão: o amor e a morte. A sociedade humana então tratou por um lado de conter a sexualidade, das mais variadas formas e nas mais variadas épocas e culturas, e de despir a morte de suas características brutais, adocicando seus traços, ritualizando-a e tentando mantê-la sob controle. Todavia,

> no seu esforço para conquistar a natureza e o ambiente, a sociedade dos homens abandonara suas velhas defesas em torno do sexo e da morte; e a natureza, que se podia acreditar vencida, refluiu para dentro do homem, entrou pelas portas abandonadas e se tornou selvagem [...] essas primeiras brechas foram de início assunto da imaginação, que por sua vez providenciou a passagem para o real [...] para além de um certo limiar, o sofrimento e o prazer, a agonia e o orgasmo reuniram-se numa única sensação, que o mito da ereção do enforcado ilustra.[21]

O filme japonês *Império dos sentidos*, de Nagisa Oshima, não é outra coisa senão a encarnação desse mito. O personagem masculino é estrangulado por sua parceira durante o ato sexual, com sua anuência, na certeza de obtenção do maior prazer culminando com o momento de sua morte. Voluntariamente e de seu pleno conhecimento.

Prazer e dor estão presentes abundantemente nas páginas de Sade.

Encontramos esta frase, em Huizinga, sobre a Idade Média: "A tortura e as execuções são contempladas pelos espectadores como as diversões de uma feira.[25]

No período da Revolução Francesa, o espetáculo da guilhotina repetiu-se *ad nauseam* para terror de milhares de pescoços, bem como os enforcamentos do Irã do aiatolá Khomeini em tempos mais recentes.

Julio Cortázar descreve num conto, "O outro céu", o compulsivo interesse de um grupo de amigos, cujo programa é assistir à decapitação de um condenado à guilhotina, num misto de repulsa e prazer.

George Orwell, em *1984*, numa sociedade totalitária e fortemente repressora, retrata uma dona de casa que, cansada, se queixa dos filhos pequenos para uma vizinha com a maior naturalidade: "Ficam tão barulhentos. Estão desapontados porque não puderam assistir ao enforcamento, é isso. Não tenho tempo para levá-los, e Tom não voltará do serviço a tempo".

Portanto, o fenômeno da representação da morte ligada ao erotismo traduz não só a evidência do enfraquecimento das defesas diante do sexo e da morte num período em que a sociedade está mobilizada num esforço comum de transformação, um cochilo, como também com isso significa uma aproximação da morte com as mesmas fantasias e perversões que foram dirigidas ao plano erótico e sexual. A morte torna-se mais próxima.

Até a época dessas representações, as pessoas morriam em família, como Kaspar Hauser no filme de Werner Herzog: na sala, o sol entrando pela janela, os entes queridos ao seu redor. A dor era mantida nos limites da conveniência, e as disposições sobre as cerimônias fúnebres, determinadas por cada pessoa em seu testamento. A casa do moribundo ficava aberta a qualquer passante piedoso, o que ampliava o sentido público da morte.

Aos poucos, quer por influência das pessoas mais esclarecidas, quer por imposição da Saúde Pública, os cemitérios, que tinham sido englobados pelas cidades, em razão da pestilência que emanava dos cadáveres e da ameaça à saúde, foram novamente deslocados para além de seus perímetros. Ora, com o tempo, a família passava a acompanhar o féretro somente até a igreja. Da igreja ao cemitério, o acompanhamento passou a ser delegado aos religiosos, aos pobres e às carpideiras, transferindo-se a manifestação da emoção para fora do círculo familiar, que se restringia a expressá-la reservadamente. O período de luto trazia tantas obrigações sociais — visitar e ser visitado — que a dor era expressa e ao mesmo tempo contida.

Com o advento da forma de testamento que persiste até hoje, desvinculando do documento a orientação detalhada das pompas fúnebres, e porque a estrutura da família em fins do século XVIII, ancorada em laços de grande afeição, comportava uma nova relação de confiança, a atitude dos assistentes deixou o plano passivo, modificando-se substancialmente. Dessa maneira, após sete séculos de sobriedade, no século XIX ocorre uma ruptura do círculo estreito das conveniências, e as manifestações de dor e de luto tornam-se exageradas ou mais espontâneas: desmaios, jejuns, "lutos histéricos" etc. A morte passa a ser romântica e a literatura do século XIX muito se colore dessas grandes manifestações de dor e da morte romântica. Predomina a não aceitação da morte do outro. Os cemitérios retomam seu lugar na cidade e a exigência se faz da individualização dos túmulos, agora perpétuos. No noroeste da Europa, na França, na Alemanha e na Itália, são construídos túmulos pomposos, em um verdadeiro delírio neobarroco. No entanto, na Inglaterra e na América do Norte aparecem diferenças. Os túmulos têm a forma que têm hoje — rasos com uma simples lápide de inscrição. A tendência ao neobarroquismo parece relacionar-se com uma taxa menor de industrialização e de urbanização, na visão de Ariès, não descartando as diferenças entre catolicismo e protestantismo.

O positivismo contribui nesse período para acender o culto nacionalista dos mortos. Foi esse o movimento que inspirou tal exaltação, sendo logo seguido pelos cristãos. Proliferam os monumentos (*de monumentum*, túmulo vazio).

Tal é o panorama do século XIX.

Chegamos ao século XX e, com ele, ao consumo desenfreado, à pouca predisposição para o encontro. Os avançados meios de comunicação e a tecnologia de que dispomos hoje muitas vezes se transformam monstruosamente em meios de incomunicabilidade.

A verdade passa a ser um estorvo. A exaltação da dor do século XIX leva à ocultação da morte do próprio moribundo. Não se tem mais coragem de dizer-lhe. A morte se esconde. A dramaticidade que a cerca começa a diminuir. A emoção forte é agora inconveniente e até embaraçosa. A morte, que sempre fora um fato social e público — e acarretava para o grupo social onde ela ocorria, e até para toda uma comunidade, uma modificação importante —, torna-se banal e anônima, como se não ocorresse. Salvo estadistas e artistas ou esportistas transformados em ídolos, a relação entre homem e morte parece não afetar a estrutura do social, que não inclui essa relação como um acontecimento destacado, embora a forma tradicional de encarar a morte persista em grande parte do Ocidente latino.

O progresso do diagnóstico e do tratamento das doenças e a complexidade a que se chegou fazem que aos primeiros sinais de enfermidade grave o próprio médico indique hospitalização. Em consequência, a partir do período entre 1930 e 1950, morre-se no hospital, não mais em casa. Em Nova York, 75% das mortes ocorreram em hospital em 1967 e 69% em 1955.

No hospital, a morte não tem publicidade e os cuidados com o moribundo são transferidos para uma equipe especializada. Todos se alternam, inclusive o médico, nos papéis de dissimuladores da morte para o enfermo. Crianças pequenas habitualmente são proibidas de fazer visitas aos hospitalizados e costuma-se afastá-las da morte e da sua visão a qualquer preço. O período de luto sendo suprimido, com ele são suprimidas também boa parte das possibilidades de exteriorização da dor. O sentimento de luto, não sendo absorvido pela sociedade, passa a ser encarado quase como uma doença. Nos Estados Unidos, chega a existir uma categoria, os *funeral directors*, que travestidos de *doctors of grief* têm a função de ajudar os "enlutados" a voltar à vida normal — um tratamento do luto, função essa que muitas vezes se tenta transferir aos psicoterapeutas:

Certa ocasião, quando ainda trabalhava no Hospital do Servidor Público Estadual de São Paulo, um colega foi convocado por uma clínica de outra especialidade a emitir um parecer psiquiátrico urgente, procedimento de rotina em nosso dia a dia. Chegando lá, qual não foi sua surpresa ao constatar que tinha sido chamado para dar a notícia do falecimento de um paciente a seus familiares, o que seu médico não tinha tido coragem de fazer.

Em um de seus romances[26], Graham Greene descreve bem o embotamento de sentimentos em relação à morte. Morre um colega de escritório do personagem principal que frequentava habitualmente sua casa. No meio de uma reunião de trabalho ele se lembra do enterro: "Tenho uma agenda oficial e uma agenda particular. Marquei a reunião com você para esta quinta-feira, na agenda oficial. Guardo a agenda particular em casa, e nela é que devo ter anotado a data do enterro. Estou sempre esquecendo de comparar as duas". Uma vez nos funerais, nem se espanta em ver que as pessoas mal se conhecem nem sabem direito o que fazer de tão convencional que é o comportamento delas. Aliás, em outra passagem do livro, a descrição de uma cerimônia de casamento lembra a do enterro.

Em Huntsville, Texas, no final de 1982, um preso condenado à morte é executado com uma injeção na veia. O diretor do presídio justifica a medida, em parte, pelas altas contas de gás e de energia elétrica dispendidas pela penitenciária. O médico que examinou o condenado faz o seguinte comentário: "Ele tinha uma excelente veia!" Existem atualmente centenas de presidiários no corredor da morte. Esses fatos foram noticiados pela imprensa.

As especializadíssimas Unidades de Terapia Intensiva (UTI) são o atestado terrível da morte solitária e fria dos dias em que vivemos.

No filme *O show deve continuar*, o personagem principal se encontra numa UTI, separado das pessoas que ama e imobilizado por uma parafernália de sondas, cateteres e respirador artificial, que vão sendo instalados um a um. A cada artefato ligado a seu corpo se superpõe uma cena em que o mesmo personagem se maquila num camarim em presença da morte, uma linda mulher, para o seu *show* final, que termina com seu encontro silencioso com ela. O seco ruído do zíper fechando o envoltório de plástico transparente sobre o corpo e a vida finaliza o filme.

Os dois trechos de sessões de psicodrama a seguir ilustram o mesmo tema:

Para Elvira, viúva precocemente, seu marido era forte e indestrutível. No entanto, ele sofreu um violento acidente de trânsito perto de casa, vindo a falecer. Durante algum tempo no curso da terapia, Elvira sempre se referiu à morte dele como algo resolvido dentro dela. Em dada sessão, estava triste e falou pela primeira vez das circunstâncias da morte dele, ocorrida havia vários anos. Manifestou o desejo de conversar com o marido e assim o fez dramaticamente. Terminou a conversa dizendo: "Quando seu corpo coberto passou por mim, na maca, no corredor do hospital, em direção à sala da autópsia, eu não tive coragem de olhar. Agora eu quero levantar a ponta, só a pontinha do lençol". E acrescentou às palavras um gesto, como se estivesse de fato levantando a ponta do lençol. Nas sessões subsequentes, ficou claro que, tendo levantado essa ponta do lençol, surgiu para ela todo um conjunto de sentimentos e de lembranças havia tanto tempo negados e que culminaram num sonho em que ela caminhava de mãos dadas com o marido e com a filha até uma ponte. Lá se despediu dele, que permaneceu numa das margens, podendo então Elvira atravessar a ponte com a filha e prosseguir, até olhando de vez em quando para trás. Em outra sessão, contou que conseguira pela primeira vez conversar com a filha sobre a morte do pai dela.

Tereza montou uma cena em que, no corredor do hospital, vislumbrou pela porta entreaberta sua mãe na Unidade de Terapia Intensiva, cheia de tubos e aparelhos, à morte, que com grande esforço lhe faz um leve aceno. Tanta coisa queria lhe dizer, mas as regras do hospital a impediam. Sua mãe ia morrer, não queria que ela morresse sozinha e sem saber do seu amor por ela. Na cena, empurrou a porta com força, arrancou os tubos, quebrou os aparelhos e abraçou a mãe demoradamente.

Eu próprio, em vista da minha condição de médico, já estive diante de um parente afastado, a quem tinha encontrado poucas vezes, numa sala de UTI. Não me esqueço da sofreguidão com que fui agarrado, eu, o único rosto conhecido que lhe permitiram olhar.

Outro cliente tem remorsos porque se recusou a hospedar em sua casa um tio já desenganado pelos médicos. Lamenta-se por achar que não lhe deu condições de morrer "em família".

É curioso que, quanto mais a sociedade de hoje suspende a interdição sobre o sexo, mais esconde a morte e, no entanto, a literatura macabra dos séculos XIX e XX, a par do que acontecia no passado, volta a enlaçar morte com erotismo. As novelas policiais se constituem numa expressiva ilustração moderna desse fenômeno.

A televisão e a internet estão mostrando vez por outra imagens de forte impacto emocional sobre o direito de prolongamento da vida de um comatoso, a decisão de vida e morte nas mãos de um médico ou da família, a um passo de desligar um respirador artificial. A sua grande audiência é um eco da angústia desta interdição.

Novos costumes vão surgindo e, como no fim do século XIX, a morte se torna um negócio rendoso. Há dois séculos, pelo grande espaço que a morte ocupava nas preocupações das pessoas; hoje, em função da tentativa de disfarçá-la. Evelyn Waugh, aliás, em *O ente querido*, posteriormente lançado às telas, satirizou brilhantemente as *funeral homes*, o embalsamento e a maquilagem de cadáveres, comuns nos Estados Unidos.

A pompa fúnebre apenas se desloca. Se no século XIX os túmulos adquiriam arquitetura e enfeites caros e complicados, os caixões americanos ficam cada vez mais sofisticados, e neles a mesma mentalidade se oculta, assim como os cadáveres maquilados, que provavelmente se riem da morte que a sociedade atual inutilmente pretende interditar.

Em alguns cemitérios-jardins americanos, em que as pessoas passeiam, há projetos de museus e até de centros comerciais, tal qual os cemitérios antigos onde se enterravam os mártires cristãos.

No Brasil, muitos desses costumes já estão presentes: cemitérios-jardins, crematórios, caixões mais caros simplificados e considerados de "mais bom gosto" porque sem os enfeites negros e dourados relegados aos funerais mais pobres; peruas discretas para transporte, em vez de carros especiais com solenes acessórios fúnebres; locais para velórios em cemitérios e em hospitais; adesivos para carros acompanhantes do féretro (em São Paulo) que facilitem o livre trânsito pelas ruas engarrafadas são alguns exemplos.

Lembro que certa vez compareci a um velório em uma casa de um bairro elegante de São Paulo. A minha primeira impressão foi a de ter errado o endereço. O clima era mais para coquetel que para velório. As pessoas espalhavam-se por toda a casa. Garçons de luvas brancas serviam refrigerantes e sanduíches em bandejas de prata. O filho da falecida conversava agradavelmente comigo no jardim, numa roda, sobre uma defesa de tese. O arranjo fúnebre das flores parecia obedecer a disposições convenientes e discretas, como que inspirado em alguma revista de decoração. E a morta jazia sozinha num canto da sala de jantar. Tudo muito diferente dos velórios melodramáticos que presenciei décadas antes.

Bem diversos são os ritos de morte do índio brasileiro. Recontemos a morte de Anacã, chefe dos mairuns.[27] Anacã, como os brancos ocidentais da Idade Média, pressente a morte e espera por ela placidamente. É enterrado em cova rasa no centro da aldeia e todos convivem com a morte de Anacã por todo o tempo em que seu cadáver se decompõe. Sua cova é sempre regada e sua catinga penetra como um espírito por todas as casas, até que um dia, em grande cerimônia, seus ossos são desenterrados e distribuídos entre os mais velhos de cada casa. E, nelas, em doce e silenciosa intimidade, em cada casa, cada membro da família cuida dos ossos, polindo-os e recobrindo-os artisticamente com plumas de todas as cores. À medida que realizam seu trabalho, choram e lamentam a morte de Anacã. Terminada a tarefa, os ossos são recolhidos num cesto e levados numa canoa pelo rio até a Lagoa dos Mortos, em cujo fundo fincam um grande mastro. Amarram nele o cesto com os ossos de Anacã e, olhando para onde ele foi deixado, todos se afastam remando para trás. Parecem nos ensinar que para viver é preciso olhar a morte de frente, lamentá-la e depositá-la em lugar próprio — se possível, tendo um mastro enfeitado como ponto de referência.

# 3. A simbologia e a compreensão da morte

Diz o *Halachá* — sistema legal judaico — que morte é morte.
Diz diferente o menino de um conto.

Era uma vez, conta o conto[28], um menino que vivia sozinho com a mãe numa casa muito grande. Seu pai morrera quando ele ainda nem tinha nascido. Diz ela que por causa das feras que vivem por aí esmagando todo mundo nas estradas. Porém jamais lhe explica o que é morte ou que feras são essas. Não deixa nunca que ele saia de casa e o mundo parece, nesse conto, muito distante do lugar onde moram. Há muitas árvores à volta da casa. Uma floresta, acredita o menino. Como ele não tem acesso às janelas mais altas, nada vê além das árvores. Ele só tem contato com duas pessoas: a mãe e a professora, que lhe dá lições, sempre de luvas e encapuzada, num dos cômodos da casa. Nunca lhe vê o rosto, mas algo nela lhe é familiar. Um dia pergunta à mãe se morrer é uma sensação e ela lhe responde que sim, uma sensação ruim para os que têm que viver depois dos outros. Tempos depois, o menino encontra a mãe dormindo imóvel ao pé da escada. Está completamente fria e não responde aos seus apelos. Corre, ansioso, à sala de aula e só encontra as luvas e o capuz. Decide atravessar a floresta e enfrentar as feras. A floresta não é extensa e um simples portão a separa do mundo. Um policial comenta com um pedestre: "Alguns segundos atrás, passou um garotinho correndo por aqui. Estava rindo e chorando, as duas coisas ao mesmo tempo. Dava pulos no ar, no chão, e tocava tudo que via. Postes de luz, de telefone, hidrantes, cães, pessoas. Calçadas, grades, portões, carros, vitrines envidraçadas, postes de propaganda de barbeiros. Puxa, até me segurou, me olhou, olhou o céu, você devia ter visto as lágrimas do menino, devia tê-lo ouvido gritar, um bom tempo, umas coisas esquisitas... Gritava: 'Eu morri, eu morri, que bom que eu morri, eu morri, eu morri, é bom morrer'".[29]

Para o menino do conto a morte é vida, viver.

Débora tem dúvidas quanto à sua fertilidade; sem que tenha uma comprovação clínica, acredita-se estéril. Alguma coisa a impede de encarar tais fatos. Na dramatização, partindo da sensação que tem de algo a segurá-la e concretizando essa sensação, vem naturalmente à sua lembrança uma cena, que é montada, em que, com 3 anos de idade, está à beira de um túmulo, de onde estão exumando alguns mortos da família para que se proceda ao sepultamento de outra pessoa, um parente distante. Ela não tem medo. Apenas curiosidade — não tem a menor ideia do que é morte. No entanto, uma tia a segura e a afasta ("Não é coisa para criança ver!"). "Por quê, então, pergunto na cena, trouxeram Débora ao cemitério, se não é para ver?" "O pai que trouxe." Débora manifesta o desejo de estar próxima do pai e inverte papel com ele: "Ora, é preciso ir se acostumando com essas coisas." "Por que então não está ao seu lado?", digo. Débora, no papel do pai, afasta a tia, segura sua mão e vê apenas uma bola branca (o crânio). Diz depois da dramatização que essa curiosidade contribuiu para querer fazer medicina (sonho que sempre teve e não realizou). Na sessão seguinte, Débora chora de medo da morte e se dá conta de sua solidão, do número restrito de amigos que tem. Revê nesse dia suas relações com as pessoas de quem se afastou, não tendo manifestado quanto isto lhe era penoso.

Para Débora, a morte é uma bola branca.

A convergência entre esses três significados específicos da morte nos remete à questão do símbolo e naturalmente à compreensão particular ou geral (coletiva) de seu significado.

Comecemos pela criança. É sabido, Spitz o demonstrou, que a criança por volta do oitavo mês de vida reage à ausência da mãe, fenômeno conhecido como a angústia dos oito meses. Tal reação significa que alguma coisa, além de se destacar em seu campo visual, também se destaca no campo afetivo, vinculando-se um ao outro. Manifesta-se, pois, o primeiro movimento no sentido do estabelecimento de uma relação objetal, ou, como diriam os psicodramatistas, da segunda fase da matriz de identidade, com o início do reconhecimento do Eu e do Tu. Para isso é necessário, e daí a angústia, que a criança experimente uma sensação nova — nova porque a partir desse momento individualizada —, a que chamaremos de solidão.

À medida que a criança cresce, reproduz por meio do jogo a "mágica" do aparecimento-desaparecimento de um objeto de seu campo visual. Assim ela recria concretamente e de alguma forma elabora o movimento gerador de sua angústia-sentimento-de-solidão e organizador da "consciência" do próprio Eu: esconde e exibe brinquedos, enche e esvazia recipientes, acende e apaga fósforos etc. É clássico o exemplo do neto de Freud, que aos 18 meses jogava um carretel, preso por um fio, do próprio berço e o puxava de volta. A cada um dos dois movimentos emitia sons, que Freud identificou como "longe" e "aí está" — "Oo-Oo" e "Da-Da", correspondentes ao alemão "Fort" e "Da".

Consequentemente, não é de estranhar que, em nossa linguagem corrente, o termo desaparecimento seja empregado como sinônimo de morte e que uma partida ou uma viagem sejam os símbolos oníricos que mais comumente a representam. É muito conhecido na literatura psicanalítica clássica o símbolo onírico de perder o horário de trens como sendo de negação da morte: não partir. O próprio Freud experimentava certo grau de fobia de trens.

Ginette Raimbault realizou um longo estudo com crianças desenganadas[30], e o seguinte comentário é o de uma menina de 8 anos acompanhada por ela: "Você sabe, mamãe, um dia irei para muito longe e nunca mais a verei [...]". O primeiro ponto, portanto, que configurará o conceito de morte, é o desaparecimento do objeto do campo visual.

Antes da aquisição da linguagem, quando a criança passa também ao domínio da temporalidade, às relações de causa e efeito e à distinção entre o animado e o inanimado, ela não conhecerá o que é morte, apenas experimentará o que é ausência, pela relação que estabelece entre o foco do seu campo visual e suas sensações.

Ora, para Piaget, todo simbolismo supõe interesse e valor afetivo, assim como todo pensamento. Sendo o símbolo constituído por condensações e deslocamentos, dependerá ele de uma inteligência interiorizada, ou seja, de uma memória organizada com a linguagem, o relato e o sistema de conceitos, o que permite a transformação da mera recognição ativa do bebê em evocação representativa. O bebê reconhece objetos e personagens desde que possa reagir a eles numa forma de relação que se repete. Além disso, como não tem uma imagem de si mesmo, transforma suas impressões corporais em imagens (recognição). Em processo análogo, no sonho, o indivíduo nada vê de si próprio, mas, podendo também construir imagens, recorre a qualquer quadro exterior, desde que tenha alguma semelhança com o estímulo — donde se pode concluir que o sonho é comparável em determinado nível com o processo de recognição do bebê e, em outro, com o jogo simbólico da criança mais desenvolvida, em que cria histórias e papéis, correspondendo, no psicodrama, ao jogo de papéis psicodramáticos (imaginários).

Se para Freud o simbolismo é o produto de associações inconscientes e, portanto, um disfarce, para Jung ele se constitui, além de um disfarce, em uma linguagem primitiva. Para Piaget, o símbolo é dividido didaticamente em primário ou consciente e secundário ou inconsciente, embora na verdade todo símbolo seja um e outro ao mesmo tempo, podendo predominar um conteúdo sobre o outro. Exemplifica da seguinte maneira: se uma criança faz de

> uma concha sobre uma caixa um gato sobre um muro, acha-se perfeitamente consciente do sentido deste símbolo, uma vez que diz: "Gato sobre o muro" (símbolo primário) [...] Se uma criança tornada ciumenta pelo nascimento de um irmãozinho e brincando por acaso com duas bonecas de tamanho desigual, fará partir a primeira para bem longe, em viagem, enquanto a maior ficará com sua mãe. Supondo que o sujeito não compreende que se trata de seu irmão mais novo e dele mesmo, diremos então que há símbolo inconsciente ou secundário.

O autor conclui dizendo que "é entre os símbolos especialmente afetivos que se encontrarão as assimilações secundárias".[31]

Outro aspecto que Piaget levanta é que, se no adulto há distância entre o símbolo consciente (imagens, comparações concretas) e o inconsciente, o sonho, por exemplo, na criança todos os estágios intermediários são possíveis. São até mais frequentes na faixa entre 2 e 4 anos os símbolos em parte conscientes e em parte inconscientes, "pois o jogo de imaginação ou jogo simbólico apresenta toda a gama de matizes, entre os símbolos análogos aos do sonho e os símbolos intencionalmente construídos e inteiramente compreensíveis pelo sujeito".[32] Em linguagem moreniana, seria a própria passagem por uma ponte estendida sobre a brecha entre fantasia e realidade.

No que diz respeito à conceituação e simbolização infantil da morte, esta estará fatalmente ligada ao desaparecimento de uma pessoa do seu campo visual, daquilo que cerca esse desaparecimento (pompas fúnebres e seus componentes), incluindo até o lugar onde passa a ficar o desaparecido, e o pano de fundo dos afetos visíveis nas outras pessoas, em que predomina a tristeza. O medo da solidão e a tentativa de estabelecer uma relação de causa e efeito quase sempre estão presentes, embora a criança não necessite de uma explicação filosófica para abordar a morte ou para pensar nela.

Uma criança de 3 anos, por exemplo, começa a perguntar como é que se fica enrugado. Para ela, rugas estão associadas com a avó recentemente falecida ("foi embora e não voltou mais"). Passa a ter medo de ficar velha e o enrugar é para ela o símbolo do envelhecimento e da morte, ou, melhor dizendo, de ir embora e não voltar mais. Não quer crescer. Todos os dias pergunta quanto tempo falta para ficar grande. Aos 5 anos, uma tia lhe explica que são muitos os anos que faltam e que tendo um ano 365 dias, mostra-lhe na folhinha, demorará mais de mil dias. O número mil para ela é o limite do máximo, o inalcançável. Só então se tranquiliza.

Outra criança, também de 3 anos, desconhece o que é morte. Um dia encontra um tatuzinho numa folha de jardim, toca nele e ele se enrosca. Acha engraçado e corta o tatuzinho em dois — duas bolinhas. Corre para a mãe: "Olha mamãe, fiz dois!" Não existe o conceito "matei um", nem mesmo "matei um para fazer dois".

Freud exemplifica o desconhecimento do alcance do conceito morte com a frase de um menino dirigindo-se à mãe: "Gosto tanto de você que quando você morrer mandarei dissecá-la para tê-la em meu quarto e poder vê-la sempre".[33]

Ginette Raimbault[34] desfia uma série de exemplos:

"De amor e de morte não entendo nada..."

"Se eu cair, quebro a cabeça, morro e tudo terá fim."

"[...] quando a gente morre, não há mais nada além de uma cruz."

"[...] a gente dorme para sempre."

"Estou com medo. Não gosto que me mandem dormir."

"O que há de terrível na morte é que a gente não sabe que está morto."

"[...] farei falta aos meus pais."

A autora observa que, para as crianças desenganadas, existe a convicção clara de que as crianças que estão no hospital e não se curam morrem irremediavelmente, seja o que for que entendam por morte. Expressam claramente essa certeza. Ora, se tal certeza existe numa criança, a expressão dela é a expressão de sua espontaneidade. Esconder a morte próxima de um adulto desenganado é negar uma certeza interior, que só poderá estar mascarada se também embotada estiver sua espontaneidade. Vimos no capítulo precedente atitudes humanas tornadas conservas culturais convergindo no sentido de disfarçar uma percepção, que brotando espontaneamente sedimenta uma convicção diante de um destino.

Bustos descreve seu último encontro com Moreno no Natal de 1972: "Ele já estava com poucas forças, mas pôde erguer sua taça e brindar com todos nós que estávamos com ele. Seu corpo quase não lhe respondia, porém seus olhos ainda mostravam que o momento estava ali: havia serenidade, vibração, vida. Também a morte já estava presente, e ele sabia disso."[35]

À luz do que já foi exposto neste capítulo, tentemos analisar o simbolismo contido no caso de Débora:

O modo como ela se expressa sobre sua fertilidade (continuidade de vida) denota certa curiosidade, que parece desprovida de um afeto que se lhe configure com seu real significado para Débora. Há um impedimento para que isso ocorra. Esse impedimento, representado na segunda cena pela tia, não deixa que ela entre em contato com a morte e é o nexo que estabelece a ligação com o presente em outro papel. Ora, na cena, aos 3 anos de idade, a morte não está ligada especificamente a uma pessoa que desaparece de seu campo visual, por tratar-se, na cena, do enterro de um parente visto apenas esporadicamente e no qual Débora não investe uma carga afetiva importante. Por essa mesma razão, há aqui uma defasagem entre o que sente e o que compreende a tia e o que sente e o que compreende Débora. Morte para Débora é uma abstração, e por essa mesma razão não se vincula ainda necessariamente a um sentimento desagradável. Além disso, ela não está sozinha. Seu pai está presente e ela não registra nele nenhum sentimento devastador. A simbologia estrutura-se em torno de um conjunto de pessoas e sobretudo de um crânio, objeto identificado por ela como uma bola branca não relacionada com uma pessoa. Por essa razão não pode entender o impedimento que sua tia tenta lhe impor.

Reviver dramaticamente essa cena põe Débora em contato com a morte, tal qual simbolizada por ela aos 3 anos de idade, e ao mesmo tempo com sua compreensão atual do fenômeno. Tal ligação apenas traz à tona a carga afetiva que ela não podia vincular à compreensão intelectual da morte tal qual tem hoje, calcada também em suas experiências pessoais. Começa a ter medo da morte e, percebendo-se como mortal, tal qual uma criança quando compreende as implicações da morte, sente temor da solidão, voltando a procurar pessoas de quem tinha se afastado. Sente esse afastamento como um luto. A pobreza de seu átomo social passa a ser nitidamente percebida, assim como a transposição desse distanciamento afetivo e da curiosidade para com a questão da fertilidade, fechando o ciclo vida-morte-vida.

Uma foto simboliza bem a presença e a ausência. Lembro-me de uma paciente que numa dramatização se mobilizava diante das fotografias de suas bisavós, que mortas permaneciam nela através de seu nome composto do prenome de uma e de outra, e que a vigiavam do porta-retratos. Vivemos todos como se estivéssemos diante dessa foto, entre presença e ausência.

Na mitologia hindu, a mãe-terra queixa-se a Brama da sobrecarga que tem de suportar com o aumento crescente da população do mundo. Brama diminui então sua energia criadora e em consequência surge dele uma mulher de vermelho a que chamou Morte. Brama lhe ordena que retire a seu tempo todas as pessoas do mundo. A Morte se retrai e sofre solitária porque não será compreendida quando tiver de separar os seres que se amam. Brama transforma suas lágrimas em doenças e determina que por meio delas os seres sejam eliminados.

A "Parábola do Grão de Mostarda" da doutrina budista conta que uma mulher, tendo nos braços o filho morto, acorre a Buda e suplica que o faça reviver. Buda lhe diz que consiga em qualquer casa alguns grãos de mostarda que devolverão a vida à criança. No entanto, esses grãos terão de ser obtidos numa casa onde nunca morreu ninguém. Essa casa não é encontrada pela mãe e ela compreende uma das lições fundamentais do budismo: a de ter de contar sempre com a morte.

O exemplo hindu demonstra por meio do símbolo a necessidade inerente ao homem de compreender a morte. É inesgotável o que pode ser encontrado a respeito disso nas diversas culturas. A incompreensão do significado da morte, aliás, foi apontada por Freud em *A interpretação dos sonhos*, referindo-se à criança, e em *Totem e tabu*, discorrendo sobre o homem primitivo, em meio à sua representação simbólica.

A parábola budista, que nos coloca diante da inevitabilidade do destino, e a representação da morte hindu como uma mulher que sofre apelam não só para sua compreensão como também para sua aceitação.

É ainda Freud que afirma que "todo medo é, em última instância, medo da morte"[36], no que é endossado por Carlos Drummond de Andrade[37]:

> [...] *cantaremos o medo da morte e o medo de depois da morte,*
> *depois morreremos de medo*
> *e sobre nossos túmulos nascerão flores amarelas e medrosas.*

Novamente Freud, em seu trabalho "O tema da escolha de um cofrezinho", estabelece uma correlação notável entre esse episódio do *Mercador de Veneza*, de Shakespeare, em que há a escolha de um dos três porta-joias, representando a escolha de uma mulher, e outras escolhas de mulheres: a do Rei Lear e as três filhas, e a de Páris. Ajuntando a este nexo a observação de alguns sonhos e de contos de Grimm em que o silêncio simboliza a morte, e outros dados contidos na mitologia germânica, demonstra que Cordélia, a filha fiel do Rei Lear, representa a morte e que a representação das três mulheres nada mais é que a relação do homem com "a mulher que o gera, a mulher que é sua companheira e a mulher que o destrói [...], a mãe-terra que o recebe mais uma vez".[38]

Assim, é entre o símbolo e o mito, a negação da morte e sua compreensão e aceitação que o homem se equilibra. Mas o homem se equilibra na corda do tempo. E, se é da análise desse tempo que se delineia a morte, colocada que está irremovível entre permanência e transitoriedade, o próprio momento contém essa grande tensão humana, pois se existe morte e se existe momento não é natural pensar também na morte do momento? Logo, todo milagre da vida, todo deslumbrante drama humano em que naturalmente a morte se inclui, seria recriado sempre em todo, em qualquer momento.

A inclusão da morte na vida, visível por meio de seus símbolos, e a forma como essa inclusão é realizada, respeitará sempre não só os determinantes culturais, bem como a experiência e a carga de afeto à qual ela indiscutivelmente se ajunta.

O ponto de vista dos habitantes de Chuuk, no Pacífico, corrobora a crise da meia-idade do homem ocidental. Para eles, a vida termina aos 40, iniciando então a morte.

Na meia-idade, entre nós, o que se experimenta é o redimensionamento do tempo a partir da reflexão sobre o que resta a viver, o que acaba contribuindo para muitos períodos detectáveis de depressão.

Em nossa cultura, não é sem resistência que a ideia de morte se instala. São muito conhecidos os estudos de Elisabeth Kübler-Ross com pacientes (adultos) terminais, em que ela caracteriza cinco estágios pelos quais passa ou pode passar uma pessoa diante da certeza da morte próxima: negação (que com o tempo se transforma em aceitação parcial), raiva (por ser o escolhido), barganha (uma variação da negação), depressão e aceitação. Ao contrário da criança, o adulto desenganado frequentemente escamoteia o que sabe e em geral aceita qualquer pacto que o livre de tocar no assunto. Um ancião comentava no velório de um parente mais ou menos de sua idade, apontando o defunto: "Você não acha que eu estou bem melhor de aparência do que ele?"

O ritual do enterro e do luto judaico, pleno de símbolos, não se afasta do que diz o Halachá, não deixando que a morte seja vista a não ser como morte. São impedidos os gastos excessivos com os funerais para que não se compense e se esconda com isso nenhum sentimento da família em relação àquele que morre. O *keriá*, ato de rasgar roupas, permite uma catarse. É feito um elogio ao morto que tem como finalidade despertar emoções nos vivos pelas lembranças revividas. O buraco aberto para o sepultamento representa o vazio. É dada a pá aos amigos e à família para que ajudem a enterrar o morto. Os familiares encontram uma refeição quando voltam do sepultamento, significando a continuidade da vida. O luto é caracterizado por diversas providências que ajudam a expressão da dor, a elaboração da morte e, finalmente, o retorno dos enlutados à vida da comunidade, sendo a ênfase final a aceitação da morte e não o seu esquecimento.

A consciência de tal necessidade surge hilariante em um conto de Julio Cortázar[39] em que uma família se ocupa, nos velórios, de chorar dramática e sinceramente todos os mortos mal chorados ou não chorados, para o desespero dos familiares hipócritas.

Assim uma protagonista vê e lamenta a morte de seus pais numa sessão de psicodrama:

"Meu pai no caixão. De terno marrom e com aquela camisa. Sempre detestei aquele terno e aquela camisa!" E, como Cristo: "Pai, por que me abandonaste?"

"Minha mãe no caixão. Ela não podia esticar uma perna. Bem no joelho. Coberta de rosas, bem ali ficava uma onda. Onda de rosas onde era o joelho. Bem no joelho. Uma onda de rosas. Minha tia disse: 'Que bonito!' Que bonito? Horrível!"

Os disfarces da morte e dos sentimentos estão eloquentemente presentes nesses monólogos.

Em outro caso, a simbologia da morte é transportada à própria vida em períodos diversos:

Marília tem cinzeiros por toda a casa. Não admite que outra pessoa utilize mais de um ou que mude qualquer um deles de lugar. Descobre, numa sessão de psicodrama, que os cinzeiros são como urnas funerárias e as cinzas são as cinzas de um passado morto que quer enterrar em compartimentos estanques para não sofrer. Esse *insight* ajudou-a a diminuir sua preocupação com as cinzas e com os cinzeiros, sendo ele o início, na terapia, do desenvolvimento desses compartimentos estanques.

Marília expressa muito bem a simbologia da morte com o esquecimento e a compartimentalização com que tentamos tratá-la. Todavia os símbolos, como nossos sentimentos, nos traem, mesmo porque deles não podem ser dissociados. As ausências daqueles a quem amamos e de cujo convívio fomos privados, assim como as roupas enlutadas dos judeus, também têm seus rasgões — e, por melhor que as costuremos, sempre permanecerá a marca da cerzidura como que apontando o itinerário da dor.

# 4. Morte e separação, paixão e transferência

> *Que horror, lendo outra vez esses livros*
> *sobre morte! Não tem outra coisa pra fazer?*
> *Por que não escreve sobre o amor?*
>
> Matilde Ribeiro Bernardo

### A DOR E SEU ITINERÁRIO: A MORTE DO OUTRO É A MINHA MORTE

Os reis medievais choravam sua dor agarrados aos seus mortos. Assim como a emoção no teatro grego foi transferida da plateia para o coro, na morte ela foi delegada um dia às carpideiras, até que se tornou mesmo inconveniente mostrar socialmente o próprio rosto do cadáver durante muitos séculos. A dor e a nudez antiga e comum dos mortos ficaram disfarçadas pelo sudário.

Houve tempo, tempo que se vive ainda, em que o ritual mortuário, em vez de facilitar catedraticamente a vivência da separação definitiva, estruturou-se de modo tão artificial que negou a saudade, impondo ao Drama o teatro. E foi nesse teatro que eu mesmo representei como ator destacado, distribuindo comprimidos de Valium em velórios da família, acreditando que assim cumpria o meu papel de médico e de parente. A dor, no entanto, seguiu seu caminho no coração dos homens apesar de todos os empecilhos e de todos os *scripts*.

Um deles, por meio da imagem, no documentário *Corações e mentes*, de Peter Davis, sobre a guerra do Vietnã. Nele, o general Westmoreland, comandante americano das operações de guerra no sudeste asiático dos anos 1960, diz ao entrevistador que os orientais encaram a morte com grande serenidade. Um corte brusco revela uma cena chocante e terrível do funeral de um vietcongue, em que sua família se dilacera de dor, quase se atirando junto com o morto à sepultura.

Em outro, a prosa brasileira de Paulo Emílio Salles Gomes, encontramos esta notável descrição:

> Como nos filmes as imagens do pensamento não são contínuas [...] já surgia outra imagem: uma porta de sala igual a qualquer outra [...] fiz um pouco de trapaça com a vagabundagem, forcei minha imaginação a ver o que tinha na sala, não era uma sala, era um quarto. E vi Hermengarda morta.
> O filme foi interrompido. Houve alguma coisa estranha atrás de mim, em mim, nas costas, como se um estilete comprido e muito fino — mais fino do que uma linha e capaz de atravessar uma pessoa sem provocar uma gota de sangue — me entrasse devagar pela nuca se orientando dentro de mim à procura do coração. A sensação insuportável de tão aguda foi seguida de perto por uma náusea que me fez cambalear pelos corredores à procura de uma privada para vomitar. Sempre temi doenças, e conhecendo os sintomas das principais, procurei ansioso o nome daquilo que estava me assaltando, mas em vão. Embaralhei os nomes de trombose, enfarte, derrame e outros: era inútil me fixar num deles porque me escapavam as dores características de cada um. O esforço para encontrar e reconhecer uma dor determinada revelou que não sentia nenhuma. Sem o amparo das palavras, às quais me dependurava ao acaso, teria enlouquecido. Fui salvo pela palavra *sofrimento* a que me agarrei. Era sofrimento, apenas sofrimento o que sentia, sem dor e sem doença. A descoberta tranquilizadora me salvou do pânico e me levou a um choro manso que me orientou com cuidado, evitando erros e tropeços, para a sua motivação: Hermengarda morrera... Quando o pranto estancou e consegui olhar fora de mim, não sobrara pedra sobre pedra na casa, no bairro, em São Paulo, no mundo.
> O universo virara pó.[40]

Em Camões:

[...] *E se vires que pode merecer-te*
*Alguma coisa a dor que me ficou*
*Da mágoa, sem remédio, de perder-te,*

*Roga a Deus, que teus anos encurtou,*
*Que tão cedo daqui me leve a ver-te,*
*Quão cedo de meus olhos te levou.*[11]

No romance mineiro de Lúcio Cardoso:

[...] me era impossível imaginá-la morta. Nenhum outro ser parecia mais imune e mais afastado da destruição. [...] e ela não se acha mais aqui. [...] Apoio-me à parede e todo o sangue aflui às minhas têmporas, enquanto meu coração bate num ritmo descompassado. Que dor é esta que me aflige, que espécie de sentimento é este, de tão funda insegurança, de uma tão absoluta falta de fé e de interesse pelos meus semelhantes? [...] que me imponha uma tão grande distância, a mim, que fui seu filho mais que idolatrado [...] e morrer sem mim. [...].
[...] distingui um vulto [...] e reconheci facilmente meu pai. [...] pareceu-me bastante envelhecido [...]. Não sei, no entanto, que espécie de atração foi a que sua presença exerceu sobre mim — eu, que nem sequer o olhava quando esbarrava com ele no corredor. [...] só aí tive inteira consciência que os Meneses não existiam mais. [...] Tão sem pressa quanto suspendera a ponta do lençol, inclinei-me e beijei o rosto daquela mulher — como já o fizera tantas e tantas vezes —, mas sentindo que desta vez era inútil, e que eu já não a conhecia mais.[12]

Ou a dor testemunhada em cenas de psicodrama:

Alberto trouxe várias vezes em terapia o suicídio da mãe. Em uma sessão, num jogo grupal, Alberto emite um longo e profundo grito de dor, antes um uivo, até a exaustão. A partir desse momento, o do contato com a dor que nunca se permitira sentir, antes apenas a raiva e o inconformismo, Alberto passa a desabrochar a si próprio em diversos papéis, rapidamente. Ele traz então em várias sessões — desenha e pinta muito bem — uma grande quantidade de desenhos, de pinturas e de esculturas, que representam uma minuciosa elaboração de todo o processo de terapia —, e mais além, de vida.

Isaura traz ao grupo em uma dramatização o mesmo sentimento que percorre várias cenas de sua vida: solidão de mulher separada que não consegue se desvincular internamente do ex-marido; isolamento de mulher prisioneira política que não pode separar-se das companheiras de cárcere, cuja companhia em muitos momentos não suporta, por vê-las como parte de si mesma; e a dor diante do primeiro namorado morto pela polícia e do qual não podia e nem queria se separar, em plena adolescência.

Fernando perdeu uma irmã há dois dias. Intensamente deprimida, cometeu suicídio porque Fernando e os pais batiam na porta trancada insistindo em levá-la ao hospital. Fernando chora e grita nos braços do grupo toda a sua dor e desespero, todo o seu horror do sangue que teve que lavar depois, a marca de sua culpa.

Outro paciente, em quase dois anos de terapia, jamais pôde tratar da perda de sua mãe por suicídio. Seu ódio, sua dor e sua culpa eram tão intensos que começava a faltar às sessões tão logo o tema emergia.

As crianças manifestam frequentemente instabilidade e inibição diante da impossibilidade de manifestar a dor do luto. Qualquer perda ocorrida no átomo social da criança modificará indubitavelmente sua posição sociométrica. Somente a elaboração consistente desse luto será capaz de redimensionar para ela a nova posição sociométrica da qual depende sua segurança afetiva. Fica patente que o prolongamento da instabilidade provocada por essa revolução em sua rede sociométrica, ou a inibição dela resultante, é um sinal da dificuldade de absorção da perda pelos próprios integrantes dessa rede. Não é possível à criança elaborar o luto sozinha sem que tenha como resultado profundas marcas transferenciais. Quantas vezes não vimos pacientes que fizeram da própria vida um duro itinerário para substituir convenientemente para os pais, eternamente inconformados, um irmão morto num ponto remoto de sua infância, por se sentirem de alguma forma sempre rejeitados em prol daquele que não está mais presente? E com isso transferir sentimento equivalente para outros relacionamentos vida afora?

Guite Guèrin, avaliando o problema, nos diz:

> Compreende-se quão importante é a forma como o pai ou os pais poderão, por sua vez, atravessar o luto sem escondê-lo, ou sem deixar-se devorar por ele, e também sem pedir ajuda ao filho, num momento em que o próprio filho tanto necessita de sua presença. A depressão dos pais modifica a atenção e a afeição com que antes cercavam o filho.[43]

Para o psicanalista Bowlby[14] existem três estágios na elaboração do luto:

1. desconsolo e angústia de separação;
2. desestruturação do Ego;
3. restruturação do Ego.

Sua visão, da óptica psicanalítica, define o luto como a origem da busca persistente do objeto perdido. A melancolia representaria o grau extremo dessa busca inconsciente, ameaçando a própria identidade e consistindo numa "vivência de morte". O maior ou menor grau da dor dependeria do desejo de destruição com que se investe contra o objeto perdido. Em se tratando de uma projeção intensa, a culpa dela decorrente é o excedente do aguçamento da dor. Esse mecanismo seria uma tentativa de reedição da primeira perda objetal. Estão aqui contidos, pois, os conceitos freudianos estreitamente vinculados de compulsão repetitiva e instinto de morte.

Tanto Bowlby quanto Guite Guèrin parecem concordar que para a elaboração do luto essa carga adicional terá de ser aliviada. Para essa autora é indispensável, primeiro, que o indivíduo se despoje de qualquer desejo inconsciente de morte (culpa em relação ao outro); segundo, que ele aceite como inevitável a própria morte, para que a morte do outro não permaneça nele como um acidente, mas sim como integrante do mesmo destino fatal; e, terceiro, que essa morte específica não reative um luto anterior não metabolizado, o que, nas palavras de Bowlby, corresponderia à primeira perda. Seria talvez como o luto de Simone Beauvoir por Sartre: "Sua morte nos separa. Minha morte não nos reunirá. Assim é: já é belo que nossas vidas tenham podido harmonizar-se por tanto tempo".[45]

Ora, na compreensão psicanalítica, a intensidade da dor em face de uma perda se configura narcisicamente como uma perda (morte) de si mesmo. No caso de gêmeos, para usar um exemplo mais extremo, morrendo um dos irmãos, o que sobrevive se identifica mais fortemente ainda com o morto. Diante disso, como psicodramatistas, não podemos deixar de pensar no modo como se faz a passagem da primeira para a segunda etapa da matriz de identidade.

Se sabemos que na fase a que denominamos fase do espelho ocorre o reconhecimento do Tu e do Eu, é pouco clara a forma como se dá o encerramento da primeira fase (matriz de identidade total e indiferenciada), no que diz respeito à vivência das sensações, salvo a estranheza inicial diante do espelho.

Se, por outro lado, pelo prisma kleiniano, o seio como objeto parcial, bom ou mau, legitima a direção arcaica do prazer ou da agressividade, facultando a explicitação das sensações, sua perda ainda é insuficiente para conter em si só a ideia de morte, por ocorrer antes da formação do símbolo, a não ser que se admitisse a existência no homem de um biológico e discutível instinto de morte inato. Uma pré-sensação?

Para onde nos voltarmos então? Para o conceito de perda de objeto parcial? Para a angústia dos oito meses de Spitz? Para a matriz de identidade moreniana? Para todos eles? Como conceituar a partir de um referencial psicodramático, sem forçar um arranjo dentro do pre-existente, arranjo tal qual alguns autores acusaram Freud de ter feito com a morte ao tentar encaixá-la de qualquer modo em sua teoria de instintos? Ou como Moreno fez ao estruturar o psicodrama, no início de sua obra, negando quase compulsivamente o valor das contribuições da psicanálise? Como não reduzir?

Não tenho pretensão nenhuma, nem inspiração suficiente para resolver o mistério. O que me parece mais difícil de tudo é vislumbrar que de uma forma ou de outra as diversas teorias convergem para um mesmo ponto, cada uma em seu veículo próprio, cuja mecânica e chave estão de posse unicamente de seu exclusivo motorista. Conquistei com muito esforço o empréstimo de uma delas, a que aciona algumas engrenagens do psicodrama, e é por esse caminho que tentarei ensaiar alguns passos — mesmo que, contrariando talvez o leitor, eu me reserve a prerrogativa de deixar minhas perguntas e a intenção por enquanto de lado, retomando-as, ainda neste trabalho, por uma questão de método, em hora mais propícia à organização do meu pensamento.

**"O TRIUNFO DA MORTE" OU "DE COMO AS RAZÕES E DESRAZÕES ARBITRÁRIAS DO MEU DESEJO FAZEM QUE SEJA DIFÍCIL PARA MIM ACEITAR QUE NÃO TE AMO"**
A dor pelos vivos às vezes dói muito mais, arranca de nós um pedaço.

> Oh, pedaço de mim!
> Oh, metade adorada de mim!
> Leva os olhos meus,
> que a saudade é o pior castigo
> e eu não quero levar comigo
> a mortalha do amor, adeus.[16]

> Quando olhaste bem nos olhos meus
> e o teu olhar era de adeus,
> juro que não acreditei
> eu te estranhei, me debrucei
> e me arrastei e te arranhei
> e me agarrei nos teus cabelos
> nos teus pelos, teu pijama,
> nos teus pés, ao pé da cama [...].[17]

A paixão é irreal, unilateral, e por isso mesmo condenada a extinguir-se a partir do instante mesmo em que ela se incendeia. Como um fogo sem combustível, consome-se por si e em si própria. Fogo-fátuo?

Paixão lembra Cristo e define seu martírio e os acontecimentos que precedem sua morte. Paixão contém, no âmago do termo, sofrimento, sentimento excessivo, afeto violento. Lá está, nas páginas do *Aurélio*. É compreensível, pois, que a dor provocada por uma separação seja vivenciada como uma morte psíquica equivalente ao luto até em suas implicações narcísicas.

Caruso, que estudou minuciosamente a separação amorosa bilateral e definitiva, traduz o sentimento contido na afirmação tão conhecida: *partir, c'est mourir un peu*, no seguinte desdobramento:

- "o outro morre em vida, mas morre dentro de mim";
- "eu também morro na consciência do outro".[48]

Não é de estranhar, portanto, que ao mesmo tempo que o outro morrendo dentro de mim afasta a ideia de morte pelo esquecimento por mim acionado, a permanência de minha lembrança na memória do outro me preserva da antevisão de minha própria morte. Donde o apelo: "não se esqueça de mim!" — uma súplica para que a vida, e portanto a minha vida, continue.

Ora, uma separação, pois, reaviva a presença da morte na vida, assim como o luto pode reeditar perdas ou separações anteriores, e assim também a própria separação. Se a questão do morrer implica a "vivência de minha morte na minha consciência" e na "vivência de minha morte na consciência do outro"[49], comparando-se com a vivência que eu experimento em mim e em mim relativamente à consciência do outro na separação, separar-se é, ao mesmo tempo, vivenciando a morte do outro em mim e vivenciando a minha morte no outro, antevivenciar a própria morte.

O medo da morte, para alguns a angústia básica do homem, sendo uma das mais fortes molas propulsoras da vida e estando contida na separação do ser por quem me apaixonei, é também paradoxalmente uma centelha de vida na paixão.

Segundo Caruso, a paixão é uma resposta espontânea e anárquica à presença da morte — desordenada mas liberadora. Romeu e Julieta,

Tristão e Isolda, morrem em plena paixão. Cristo, que se converte no arquétipo da paixão por excelência junto do cristianismo, rebela-se contra Deus e contra os homens. É condenado à morte e ressuscita. Morre e vence a morte em sua rebelião. Muda a história e a História, tornando-se mortal sendo o próprio filho de Deus.

Se a cultura do homem "é uma resposta à ação da morte em sua vida e sua defesa por estar nas mãos da morte"[50], é essa mesma cultura que se identifica com seu inimigo, a morte, oprimindo e agredindo seus integrantes. Ora, a paixão contém o medo da morte e a própria propulsão para a vida, a própria morte e a rebelião. Logo, viver apaixonado é viver rebelado. É tentar eternizar-se na tentativa de eternizar a paixão.

Em outro plano, na perspectiva de Becker, revisitando Rank, a transferência é a um só tempo medo da vida e medo da morte. O objeto de transferência passa a ser tudo na vida, não podendo ser de nenhuma forma perdido — "o terror da transferência"[51] —, o que está em contato estreito com a consciência da própria finitude.

Por essa razão, eu disse no início desta reflexão que a paixão é irreal e unilateral, porque transferencial. Mesmo sendo a paixão aparentemente bilateral, não se tratando da mesma transferência, mas da ocorrência de transferências simultaneamente, não deixa de ser unilateral. Na verdade, em linguagem sociométrica, não existe uma verdadeira mutualidade porque não há tele[52]. Há uma mutualidade de escolha, mas, sendo transferenciais os motivos dessa escolha, não há "mutualidade de motivos". Ora, para haver inversão de papéis é imperioso que, como nos aponta Anna Maria A. Abreu Costa, haja "congruência entre as razões da escolha objetiva de uma pessoa e as razões do perceptual da outra. Bem como entre as razões da escolha objetiva recebida por uma e as razões de seu próprio perceptual em relação à outra".[53] Para que haja interação é necessário, pois, a separação entre o Eu e o Tu, o reconhecimento do outro. Logo, não me dirijo com meus desejos àquele ser e nem ele a mim, mas a uma sombra. Se me separo dele, na verdade apenas me separo de uma projeção de mim mesmo. Não choro por ti, choro por mim.

Contudo, se tenho na paixão a sensação de encontro e, se em nossa paixão apenas convivem nossas transferências, serão apenas os desejos de cada um dirigidos à sua sombra particular, lado a lado, intensamente vividos a um, os dois, entre os dois, e de todas as formas partilhados, o que nos dá essa ilusão de encontro? Ou talvez estejamos, nós, rebeldes, nos encontrando apenas em nossa revolta solitária diante da própria morte, agora que estamos juntos e apaixonados e, depois, até na dor que nossa separação nos causará — a dor da separação, a dor da morte? Ou, quem sabe, a morte, nossa única certeza, dor maior e destino, o mais fundo de nós, uma vez compartilhada através da paixão, nada deixa atrás de si, nada maior, nada mais a ser trocado de mais transcendente? Chegando ao centro de mim e de ti em tal nudez, que nos resta a não ser a agonia e a separação se nada mais há além? Voltamos os dois ao pó, ao barro inicial. Por algum tempo perdemos a razão de rir e choramos sem razão de ser, em razão de não ter, até todo e completo desapaixonamento. Por algum tempo mantivemos viva cada um a sua dor a serviço da consciência de ser vivente e de ser finito. Percorremos nesse trajeto todos os caminhos: do "como você foi capaz" ao "estou pouco me lixando", da inércia desinteressada à hiperativa busca de todos os substitutos, da culpa ao endeusamento do outro — esse desejo de sobrevivência à morte, nossas defesas humanas contra a angústia e contra o triunfo da morte. Tu que eras tudo te tornaste desimportante, e igual desimportância passa a ser a qualidade do que tu me atribuis. Um se torna ego-auxiliar do outro nesse processo. Até me agarro ao impossível para que por meio dele eu me compreenda, ao fim do que a relação se esgota, porque na paixão ando em busca de mim mesmo. Como saber sem provar? É como o personagem de Borges que, passando um dia pelo fogo e não se queimando, descobre que é apenas personagem do sonho de outro homem.[51] E, só para não contrariar a Matilde Ribeiro Bernardo, a Matilde, minha empregada doméstica, que ficou lá no começo do capítulo me exigindo outra redação sobre a vida, me pergunto se a diferença entre o ser amado e o ser amado, entre o substantivo e o verbo, não seria o "olhos nos olhos" de Moreno — a percepção e a apreensão do outro e de mim, do meu sentimento pelo outro e o do outro por mim, sem sombras (transferências) — a possibilidade maior de reais encontros, com tele e sem a paixão? Não seria o que chamamos de amor e talvez até às vezes (às vezes e não sempre porque contém o momento) de amor apaixonado, em que a paixão adjetiva deixando de ser morte e de ser substantiva e substantivo?

Sobre o amor, amar. E sobre a paixão, ainda, apaixonadamente, um vade-mécum de minhas emoções:

> *Vou começar pelo fim.*
> *De tudo que me resta,*
> *do pó a que retorno*
> *e do pó eterno de que vim,*
> *a mesma massa*
> *de tênue consistência,*
> *a mesma circunstância*
> *que em gerúndio vive*
> *e que aprisiona o momento:*
> *meu ser vivo,*
> *vivente,*
> *vivendo,*
> *que para a plenitude*
> *consigo e com o outro*
> *se basta*
> *e como um relógio*
> *em tempo impretérito*
> *para.*
> *Como se já não bastassem*
> *as longas garras fúnebres*
> *de meus antepassados,*
> *descendentes*
> *e contemporâneos*
> *que a morte levou pela pala*
> *e que me agarram*

*e que me puxam*
*pela gola do casaco!*

*E assim fica*
*porque fica assim:*
*sacudo a poeira do tempo*
*e da memória de meus ombros*
*e afasto para longe*
*os espectros que obstruem*
*meus passos vacilantes*
*para o reino próprio*
*e privado dos fantasmas.*
*E deste mergulho,*
*à tona, à vida, venho,*
*livre de luto,*
*de tal empecilho,*
*de tal entulho.*
*Caminho e me detenho.*
*E então respiro,*
*bem ali onde te encontro.*
*E se contigo*
*partilho sina igual,*
*juntos recomeçamos*
*à procura de um nome*
*chamado amor,*
*sobre cujo acordo*
*e entendimento*
*sequer chegamos.*
*E se unidos ou descompassados*
*pudermos compreender*
*este xis do destino humano*
*que distingue o abandono*
*da morte,*
*é porque amamos.*

*E é porque é preciso viver
e é porque é preciso
que a dor da separação
não nos mate ou sepulte,
nós entre os vivos,
só porque uma vez,
irrealmente,
desavisados,
simplesmente nos apaixonamos,
sem o saber
que por uma sombra;
e é porque
para que eu possa inteiro
viver um dia todo ou meio
dentro de ti,
que eu saia sim
do porão dos poréns:
que eu sinta
que posso ordenar
em sussurro ou bravo,
mais do que só dizer
em som bem alto
ou em murmúrio cavo
que descansem em paz
os nossos mortos
dentro de mim.*

# 5. Morte e sexualidade

**OS IRMÃOS GÊMEOS**

Era uma vez. Foi no princípio. No início dos tempos. No Éden, onde o homem não morria. E, mesmo sendo no princípio, foi a maçã, o pecado original, que o expulsou do jardim da imortalidade. Desde então, os dois irmãos gêmeos, Eros e Tânatos, se tornaram inseparáveis no caminho do homem.

Estão aqui, ambos presentes, nos seguintes fragmentos de sessões de psicodrama[55]:

Dulce surge como protagonista de um grupo cujo tema central naquele momento do seu processo era a sexualidade. Nunca sentiu orgasmo. Durante suas relações sexuais, alguma coisa faz que o gozo próximo se afaste. Em pé, durante o aquecimento para a ação, hesita de pernas abertas. Pergunto: "O que acontece?" Ela responde: "Vejo uma mulher deitada entre minhas pernas". Proponho a concretização dessa mulher, para o que ela escolhe um colega de grupo. Peço um solilóquio em seu próprio papel. Abre os braços e diz que se sente um Cristo e que a mulher entre suas pernas está morta. Imediatamente começa a chorar e reconhece a mãe naquela mulher. Morrera em consequência de um abortamento quando Dulce era muito pequena.

O Cristo é um desdobramento da mãe. No papel de um e de outro elemento, a morte e o Cristo, durante a dramatização Dulce vai deixando claro que se relacionar sexualmente com um homem é submeter-se a ele de tal forma que a consequência é a própria morte. O Cristo é a imagem da submissão e do sacrifício. Ora, os relacionamentos amorosos de Dulce, como ficou claro no curso de sua psicoterapia, têm como ponto comum a insistência em um par masculino que faz dela "gato e sapato", sem que encontre forças para conseguir uma relação afetiva para ela mais satisfatória, o que a própria protagonista identifica com a imagem do Cristo. No desenvolvimento da cena, Dulce, após muita luta, afasta o Cristo e leva a morta para seu lugar de descanso. Termina a dramatização em silêncio e de olhos fechados, abraçada a uma almofada, que representa o seu orgasmo, do qual não quer se separar, mas incorporar. Lembra também, na etapa da partilha ou *sharing*, do medo intenso que sentiu por ocasião de um abortamento por ela provocado. Dulce tem seu primeiro orgasmo um mês após essa sessão, com um homem que conheceu e que começou a namorar, com quem conseguiu estabelecer uma relação de igual para igual. Meses após o término de sua terapia, Dulce me conta, num encontro casual, ter montado escritório próprio como profissional liberal — lugar que nunca teve — e estar em preparativos para o casamento com o namorado, cuja relação permaneceu estável todo este tempo e plenamente satisfatória do ponto de vista sexual.

Lúcia gosta da companhia do marido, mas nas relações sexuais com ele, embora tenha passado a ter orgasmo durante o processo psicoterápico, não sente emoção nenhuma. Monta uma primeira cena, em que simboliza a relação sexual com ele: deitada ao seu lado, ela acaricia a mão dele e em solilóquio diz: "Não sinto nenhuma emoção!" Pergunto: "Onde está a emoção?" "Fora". Peço que seja a emoção. Ela se coloca fora, olhando para o casal. "Faça o que quiser, emoção!", digo. E a emoção transforma-se em uma borboleta esvoaçando no jardim da casa da infância de Lúcia. Quando se vê no jardim, Lúcia sai do papel e chora copiosamente: "As coisas que perdi!" Peço que traga à cena as coisas que perdeu. Traz sucessivamente a irmã que morreu, a casa, o pai e a mãe, que deixou quando foi estudar em outra cidade. Entra primeiro em contato com a irmã. Senta-se diante dela, chora e vai aos poucos vivendo diversas emoções juntamente com o ego-auxiliar no papel dessa irmã, emoções essas que pontuo fazendo duplo[56] de Lúcia. Lúcia diz: "Não deixaram que eu chorasse a sua morte. Eu tinha de ser a forte desta casa". E chora. Em outro momento, fala com raiva de como se sentiu abandonada. E assim várias emoções diferentes vão surgindo e se manifestando. Os duplos que faço, dependendo do momento: "Que tristeza a minha!" "Que raiva que sinto!" "Estou muito magoada" etc. Lúcia não sente necessidade de se confrontar com a casa ou com o pai e a mãe. Comenta depois que com a morte da irmã morreu também sua infância.

Sueli olha o filho e o imagina morto. Afasta o pensamento, mas quando se aproxima da janela o vê despencando do décimo andar e se despedaçando lá embaixo. Peço que também o faça. Balança o corpo. Tem o impulso de também se atirar. Irei junto. No mergulho, de olhos fechados, Sueli distingue o telhado da casa de sua infância. Em nova cena, Sueli, à beira do telhado, tem a sensação de perigo. Desce até o muro, está de short e de pernas abertas. Passa o lixeiro e sua mãe a adverte que isso não são modos na frente dos outros. Fez de propósito e se envergonha. Agora está no quarto que divide com o irmão. Troca de roupa atrás da porta do armário. Sente a presença dele e também muita vergonha. Seu corpo balança. Tem 5 anos e está numa festa de aniversário. Um bêbado a leva para o banheiro e acaricia seu corpo. É bom. Não sabe o que está acontecendo. Em casa, conta à mãe, que a segura e a repreende (um dos componentes do balanço). Pela primeira vez sente vergonha. Solta-se dela (o outro componente, seu impulso) e exige que ela repreenda o bêbado e que a compreenda. Volta à primeira cena, dá um beijo no filho e comenta: "Preciso mandar colocar uma grade na janela".

Helena nunca experimentou orgasmo. Fecha os olhos e se vê no mar. Surge do fundo um animal de pescoço comprido parecendo um pênis. Torna-se negro, um monstro. Nesse momento sente angústia, que se transforma em dor ao reconhecer no monstro o seu filho abortado. "Nada sentirá" por ocasião do abortamento provocado.

O desejo sexual de Júlia diminuiu nitidamente de intensidade há algum tempo. Sonha com dois anjinhos que lhe pisam o peito, que na dramatização se transformam nos dois filhos que abortou e que reproduzem, pisando-a, a mesma sensação de angústia inexplicável que às vezes sente. Os dois filhos abortados confundem-se com os dois irmãos que morreram quando era criança. Conversa com os quatro e leva-os para o limbo. Sente paz. Algum tempo depois, volta a sentir desejo sexual e pleno orgasmo.

Ana também nunca teve orgasmo. Seu pensamento foge quando tem relações sexuais com o marido. Na dramatização, vai atrás de seu pensamento e chega à filha que morreu precocemente. Convoca o marido na cena e conversam, o que nunca fizeram no real, sobre a filha que perderam. Nunca puderam se acompanhar na dor. Enterram a filha juntos. Poucas semanas depois, tem seu primeiro orgasmo, após vários anos de casada.

Outra cliente traz como impedimento da realização de seu desejo sexual (calor) com um novo companheiro a frieza cadavérica do corpo do marido morto (culpa por desejar outros homens durante sua doença).

Outra, ainda, trabalhando o orgasmo (algo não a deixa que o atinja — sensação de interrupção), associa, em uma cena, a respiração acelerada de suas relações sexuais à respiração agônica e estertorosa da mãe que morre.

Reflitamos, pois tanto morte quanto sexualidade são lacunas na teoria do psicodrama. À primeira vista, a intercepção da sexualidade pela morte nos casos relatados ocorre em níveis diferentes, com alguns pontos em comum. O caso de Dulce nos remete aos conceitos de cacho (*cluster*) de papéis, de transferência, de catarse de integração e ao desenvolvimento de "papel sexual". Lúcia nos faz pensar em transferência, encontro e desenvolvimento de "papel sexual". Com Sueli trazemos à tona novamente transferência, cacho de papéis e desenvolvimento de "papel sexual", assim como Helena, Júlia e Ana, em planos próximos. O caso de Ana também contém catarse de integração. Estamos portanto diante do exame de transferência, cacho de papéis e catarse de integração, "papel sexual" e seu desenvolvimento, e encontro. Naturalmente estão implícitos nestes seis casos outros conceitos como tele e espontaneidade, por exemplo. Porém, iniciarei este estudo partindo do que me é mais evidente. À medida que se faça necessária a correlação com outros dados, esta será feita quando indispensável. Penso ser inevitável esbarrar em pontos cegos da teoria. É minha intenção, como a de todo autor, contribuir para seu esclarecimento na medida do possível. Quanto à transferência, comum a todos os casos, como não poderia deixar de acontecer, me parece aqui apenas um indicador de caminho, e por isso mesmo comum, do qual se partiu. Por essa razão não vejo, pelo menos por enquanto, um valor específico quanto ao tema de que estamos tratando, pois estará vinculado ao efeito cacho. Assim, começarei pela reflexão sobre papel, "papel sexual" e seu desenvolvimento, no qual se incluiria o encontro, tentando completar o estudo inserindo nele as relações do ser humano com a morte.

## DIGRESSÃO SOBRE UNS QUANTOS PONTOS DA TEORIA DE PAPÉIS

Comecemos por um ponto. Um conto. Um conto húngaro.[57] Para aumentar o ponto:

São apresentados à velha condessa dois crânios achados na fossa dos enforcados. Um deles seria o de seu noivo desaparecido na véspera do casamento e por quem sempre esperara. Um assaltante só agora confessara a autoria de seu assassinato e o local onde escondera o corpo. Nenhum sábio a quem recorre a condessa pode identificá-lo entre os dois crânios, salvo um, que aponta sem hesitação para um deles, confessando depois a um amigo também a sua ignorância. Justifica: "Minha profissão não é dizer a verdade: é curar". E assim termina o conto:

> Que é o homem:
> Se os ossos não são ele;
> Se sua carne é pó;
> Se o sangue do arquiduque e o do servente

São o mesmo líquido vermelho?
Que é o homem, então?
Pele?

Acrescento:

Que é o homem sem papéis?
Que é do homem sem papéis?
Que é o homem nos papéis?
Que pele é essa do homem, papéis?

Penso que a nossa ótica de psicoterapeutas psicodramatistas quanto a papéis tem sido uma óptica de pincenê e não uma ótica, tanto quanto possível, a um só tempo de telescópio, de lupa, de microscópio e a olho nu. Não querendo dizer com isso que possamos ser capazes da boa destreza de todos os instrumentos, muito temos nos contentado com o que Moreno falou e disse, apesar de Moreno. Rocheblave-Spenlé, socióloga, aplicando maior rigor no exame da teoria de papéis, aponta alguns pontos fracos da visão de Moreno, sem deixar de valorizar suas contribuições e criações. Talvez por ser psiquiatra Moreno não teria dado o merecido destaque à regularidade dos processos sociais, ao caráter institucional da vida social e um suficiente realce à importância da cultura, das normas e dos valores sociais, atendo-se a uma visão microssocial, privilegiando exageradamente o indivíduo. Aliás: essa crítica vem sendo endossada entre nós nos últimos anos direta ou indiretamente por alguns autores psicodramatistas, dos quais saliento, no meio brasileiro, Gonçalves dos Santos, igualmente sociólogo, e Naffah Neto.

Se por um lado Moreno contrapõe a originalidade do indivíduo a uma conformidade da sociedade, de certo modo negando os movimentos sociais, os sociólogos que teorizam sobre papel, em contrapartida, ao criticarem certos aspectos da obra moreniana, não conseguem assimilar a noção de inversão de papéis e de encontro. Interpretam mesmo o poema de Moreno, tão conhecido dos psicodramatistas, que define tais conceitos através da troca dos olhos, como um observar-se a si mesmo como a um objeto. Também uma ótica de pincenê.

Só para dar uma ideia da dificuldade e da complexidade do tema, examinemos, por exemplo, algumas das afirmações de Mezher, um dos primeiros a rever o assunto e o primeiro a contestar o conceito de papel psicossomático[58] criado por Moreno. Mezher baseia seu estudo na noção de complementaridade, como um dos pontos a invalidar o conceito. A complementaridade entendida como interação de pessoas através de papéis e de contrapapéis correspondentes estaria ausente nos "papéis psicossomáticos". Assim, pergunta, qual seria o papel complementar do papel de ingeridor? Após analisar detida e cuidadosamente os diversos conceitos de papel, chega à sua definição: "Papel é um específico conjunto de atos, segundo o modelo prescrito por uma determinada sociedade, na interação entre os seres humanos"[59]. Apoia-se para isso nos três pontos que se destacam nas muitas definições de papel, contidas que estão em seu conceito.

Entretanto Mezher, baseado em sua análise, e considerando, pois, inadequada a denominação de papel quando a relação se dá com um objeto ou com um animal, contesta a designação de cavaleiro e de escultor como um papel. Proponho aqui, então, uma pequena discussão com Mezher, mesmo sabendo que esse seu trabalho apenas representa um resumo de suas ideias e que me prendo a um pequeno detalhe.

Socialmente, é indiscutível o reconhecimento desses dois papéis. Tanto podemos apresentar Fulano de Tal, o famoso escultor, como Beltrano, cavaleiro da Guarda de Sua Majestade, em uma reunião social sem que isso cause estranheza entre os presentes — talvez o cavaleiro porque não vivemos em um reino, a não ser talvez o de Momo, em fevereiro. Dessa forma, o primeiro papel é imediatamente reconhecido e o segundo é reconhecido, porém nos obriga rapidamente a relacioná-lo com o contexto de que provém — outro país, logicamente monárquico, ou um reinado simbólico dentro de nossa república, por exemplo o Carnaval. Por intermédio desses papéis, portanto, o próprio indivíduo pode ser apresentado, complementando pois socialmente sua própria identidade social. Sua inter-relação no papel ocorre com outros seres humanos, apesar da escultura e do cavalo. O papel torna-se um atributo do indivíduo, conferido consensualmente pela própria sociedade, e o conjunto de atos que realiza especificamente com o mármore ou com o cavalo configuram um todo que é passado na relação com os outros, definindo o papel mesmo, estando ausente qualquer elemento inter-relacional. Escultor e cavaleiro, aqui, socialmente se configuram como um rótulo e estão relacionados com outros papéis nesse exemplo: cavaleiro-guarda, escultor-artista.

Rocheblave-Spenlé é quem nos diz das muitas variantes dos papéis reais e exemplifica com o papel da mãe, em que a definição depende de um caráter sexual (mulher); de idade (adulta) e de família (esposa, não indispensável). Outras vezes, a própria noção de inclusão e de complementaridade estão ausentes ou diluídas naqueles papéis que dependem do "encadeamento do tempo": o papel de homem adulto sucedendo o de adolescente, e este por sua vez o de criança. O tempo é também uma variável presente naqueles papéis que definem as etapas de uma carreira. Quando Moreno é criticado por não excluir o sentido dramático da definição de papel, crítica que me parece discutível porque sua intenção é a de ampliação tanto no sentido inter como intrassubjetivo, entendo que a ideia subjacente a essa afirmação é a de que, primeiro, o social pode por si só fornecer elementos para defini-lo; e, segundo, tudo que é capaz de ser agido pode se converter em papel dramático, mesmo não sendo papel social.

Ora, os parâmetros de definição de papel entre os diversos autores, resumidos por Rocheblave-Spenlé, implicam o seguinte:

> 1. Em nível do grupo: modelo de conduta prescrito por todas as pessoas que ocupam o mesmo *status*. Define-se por consenso e exprime as normas e valores culturais.
> 2. Em nível intersubjetivo: configura as condutas ou modelos de conduta recíproca no processo de interação, respondendo às expectativas do outro e relativas a situações determinadas.
> 3. Em nível da personalidade: representa uma atitude para com o outro, um hábito social do indivíduo, mantendo relações estreitas com a "personalidade profunda", o "Eu".[60]

Comparando com a definição de Mezher, podemos perceber intenções diferentes: enquanto este parte da ação para a interação mediada por um modelo social, Rocheblave-Spenlé privilegia a conduta ou o modelo de conduta que já contém em si mesma o social, mesmo em nível intersubjetivo, o outro sendo o representante desse mesmo social a cujas expectativas numa situação específica devo responder, sendo a personalidade a modeladora desse modo de atuar, o como, o colorido.

Tal posição fica mais clara quando a autora chega à sua própria definição de papel, propositadamente genérica: "Papel é um modelo organizado de conduta, relativo a uma certa posição do indivíduo em um conjunto interacional".[61] A impressão que fica é que Mezher, como psicodramatista que é, não pode desvincular a noção de papel do contexto no qual ele o estuda, o psicodrama, estabelecendo entre eles o elo ato-ação; enquanto Rocheblave-Spenlé, cujo campo de investigação é a sociologia, engloba o indivíduo no bloco social. Não deixa de ser interessante o emprego por Mezher do plural atos ("conjunto de atos") e do singular "modelo organizado de conduta", utilizado por Rocheblave-Spenlé. Ela por sua vez pluraliza o sentido da relação quando insere o indivíduo em um "conjunto interacional", enquanto Mezher emprega o singular "interação entre seres humanos", dando a impressão, apenas a impressão, de dizer a mesma coisa. A leitura atenta das entrelinhas, porém, evidencia a diferença das preocupações de cada um.

Por outro lado, Rocheblave-Spenlé distingue, quanto a papel, três situações particulares:

a) Papel social: a posição torna-se aqui o *status*; o modelo de conduta é definido pelo consenso dos membros do grupo e possui um valor funcional para este.

b) Papel dramático: a posição é fornecida pelo tema da peça; o modelo definindo o jogo do ator que foi criado pelo autor dramático.

c) Papel pessoal: o indivíduo determina ele mesmo sua posição pela relação com os outros e age conforme um modelo de conduta próprio que promove em norma das relações intersubjetivas.[62]

Assim, a parte daquele todo do papel, no caso do escultor e do cavaleiro, representada pela relação com o mármore e com o cavalo, nada mais é que uma das diretrizes que marcam a posição do cavaleiro e do escultor e que preconfiguram um modelo de conduta, ao qual se ajuntariam também ambos os fatores (a função e a posição); e por meio da qual possam ser reconhecidos socialmente e, por conseguinte, no papel, como escultor e como cavaleiro.

Não me parece, então, difícil de entender as definições diferentes de papel para Moreno ao longo de sua obra, tendo ele apreendido em cada uma delas dimensões diversas do tema. Assim como a personalidade, por se constituir num movimento perene, sofre as limitações de qualquer conceituação, que se torna consequentemente incompleta, já que tenta enquadrá-la num sistema fixo de referências, o papel intimamente a ela relacionado e também dependente de um dinamismo social reluta em delinear-se por parâmetros que sejam totalmente satisfatórios. É o próprio Moreno quem diz, sendo também por isso valorizado por Rocheblave-Spenlé, que o papel, por estar colado à personalidade (*persona*), pode integrar elementos privados, sociais e culturais e promover mudanças interpessoais.

Para sedimentar ainda mais esse ponto de vista, o da dificuldade de definição em razão da íntima correlação entre papel e personalidade, papel e *persona*, papel e eu, recolhemos mais algumas colocações de Rocheblave-Spenlé:

"Se cada sociedade", diz a autora, "como cada homem, se distingue por um repertório único de papéis, eles não se tornam reais a não ser quando um indivíduo concreto os assume em sua conduta".[63] Ou seja, não existe papel real sem ator.

"A relação intersubjetiva modela a relação intrassubjetiva."

Logo, "os processos intrassubjetivos podem ser considerados como interiorização dos processos sociais e, em particular, da relação de papéis".[64] E ainda, falando das implicações do papel no nível da personalidade, aponta duas direções: a vertical — influência do papel na personificação de quem o desempenha — e a horizontal — presente nas relações mútuas dos papéis integrados pelo indivíduo dentro do indivíduo. Ou seja, o Drama do qual participo como ator ou plateia também se desenrola dentro de mim.

E mais: "Os hábitos se constituem num sistema de organização pessoal a um nível primitivo, mas eles não implicam uma relação do indivíduo com o mundo e não dão da conduta senão uma visão fragmentária e dividida". "Certos papéis podem se degradar em hábitos e não mais obedecer senão a um determinismo interior da compulsão à repetição." "A atitude social de um indivíduo não é controlável e depende de suas características de personalidade, apesar do papel desempenhado."[65] Ou seja, o Drama também se transforma ou se conserva em mim e, transformado ou conservado, reflui fora de mim.

Acrescentando mais alguns ingredientes a essa reflexão sobre teoria de papéis, levantemos a questão dos papéis psicodramáticos ou psicológicos ou imaginários.

A transposição do mundo de sensações indiferenciadas da primeira fase da matriz de identidade, o "Primeiro Universo", para a atuação no mundo bidimensional, social e de fantasia, "Segundo Universo", emergente da brecha entre a fantasia e a experiência da realidade, traz com ela a estruturação e o jogo dos papéis sociais e dos papéis que Moreno denominou psicodramáticos. Sob esta última denominação, Moreno compreendia tanto os papéis desempenhados no nível da fantasia quanto aqueles que se desenrolavam no cenário psicodramático.

Fonseca Filho, embora reconhecendo a semelhança de estrutura dessas duas formas de papéis psicodramáticos, preferiu utilizar esta última denominação para os papéis desempenhados no cenário psicodramático, reservando o termo papel psicológico ou papel fantástico para os primeiros, incluindo aqui também aqueles provenientes de uma atividade delirante.

Naffah Neto, por sua vez, utiliza o termo papel dramático para aquele proveniente do teatro e na cena do psicodrama e, porque na passagem do "Primeiro Universo" para o "Segundo Universo" o exercício dos papéis sociais tende a relegar o mundo imaginário a segundo plano, chama os papéis relativos a esse mundo de papéis imaginários. Reserva a denominação de papéis psicodramáticos àqueles que emergem "de uma nova síntese entre imaginação e ação, entre espírito e corpo; justamente a retomada do sujeito como existência una e a dissolução da sua clivagem anterior em papel social e pessoa privada (onde o papel circunscrevia a ação e a pessoa privada, a imaginação)".[66] Os papéis imaginários estariam, portanto, deslocados da ação real (sonho ou devaneio); já os papéis psicodramáticos seriam a concretização na ação dos papéis imaginários.

Por não se enquadrarem na definição de papéis sociais, Rocheblave-Spenlé faz menção a esses papéis comparando-os com os dos jogos infantis e enquadrando-os sob o título de papéis do imaginário. Observa que, enquanto os papéis sociais resultam no "desempenhar um papel", os papéis do imaginário levam apenas ao "desempenhar em um papel". Menciona ainda o termo "papel imaginário", empregando a denominação imaginário como qualificativo naquele trecho específico do texto e não como classificação. Desse modo, esse papel, por não preencher uma função específica num grupo, em sua maneira de ver, e por não ser prescrito ou definido pela sociedade, é transportado à categoria particular de papel dramático ou papel pessoal, conforme o caso. Assim, como vemos, sob a denominação de papéis psicodramáticos de Moreno estão englobados os papéis dramáticos e os papéis pessoais de Rocheblave-Spenlé. Eis por que, e agora compreendemos melhor, Fonseca Filho separa os papéis psicodramáticos em psicodramáticos e psicológicos ou fantásticos; Naffah Neto os distingue em papéis dramáticos, papéis imaginários e psicodramáticos; e Rocheblave-Spenlé, sem conseguir um espaço próprio para os papéis do imaginário, os situa quer na categoria de papel dramático, quer na de papel pessoal, dependendo de suas características.

Ora, para a socióloga, a definição de papel dramático repousa no tema da peça como posição e no jogo do ator dentro do *script* do autor como modelo; e a de papel pessoal, na temática do indivíduo como posição, tendo como modelo a sua ação criada norma no intersubjetivo. Entretanto, peca pelo termo. É possível que um papel, qualquer que ele seja, não seja pessoal?

Para Moreno, o papel psicodramático junta ambos (o dramático e o pessoal de Rocheblave-Spenlé) no cenário do psicodrama e coincide com o segundo fora dele. Portanto, concordo com Fonseca Filho e com Naffah Neto em tentar precisar melhor as definições. Cria-se certa insatisfação com os termos. Se por um lado Fonseca Filho reserva a palavra *psicodramático* para os papéis jogados no cenário do psicodrama, o prefixo *psico* parece sugerir algo mais, aproximando-se intuitivamente da definição de Naffah Neto. Este, por sua vez, separando-os em dramáticos, imaginários e psicodramáticos, é mais preciso em suas formulações. Dessa maneira, parece-me mais apropriado chamar de papel dramático o papel tal qual o definiu Rocheblave-Spenlé, que, quanto ao *script*, contém o tema conservado de um autor, que até pode ser o próprio ator; e de papel psicodramático o papel como o redefiniu Naffah Neto, que, de imaginário, se torna espontaneamente ação real, criado pelo ator-autor, inicialmente a partir do cenário do psicodrama. A manutenção do termo *psicodramático* justifica-se para mim em função dessa definição e da consagração da palavra, à falta de um nome melhor, como também da intenção de não sobrecarregar com mais palavras novas a compreensão de uma teoria já com tantos pontos controversos. Os termos papel psicológico, fantástico ou imaginário, já descritos e publicados, bem que poderiam, pela mesma razão, terminar aqui a cadeia de sinonímia, devendo ser utilizados tanto no sentido dado por Fonseca Filho quanto por Naffah Neto. Parece-me indiferente o emprego de um ou de outro. E, quanto à definição de Rocheblave--Spenlé para os papéis particulares, papéis psicológicos, fantásticos ou imaginários, se ajusta perfeitamente em sua categoria de papel pessoal (cuja crítica ao termo mantenho), que vai além do simplesmente imaginário: significa que esses papéis criados pelo indivíduo são desempenhados na vida real na relação com os outros porque de certa forma acabam consagrados. São emprestados do culto que se presta a pessoas que são elevadas pelos órgãos de divulgação, pelas artes, pela política, pelo esporte etc. à condição de astro, vedete, herói e, sem que o sejam delirantes, situam-se ao mesmo tempo no real e no fantástico. Já o papel psicodramático, entendido como no cenário psicodramático, contém elementos tanto de papel dramático quanto de papel pessoal, se constituindo em uma categoria original não pensada pelos sociólogos.

A essa altura o leitor deve estar me perguntando: "Muito bem, tudo isso que você escreveu sobre papéis pode ser uma discussão teórica até interessante, mas o que tem que ver com o tema 'morte e sexualidade'?"

Respondendo ao leitor, acredito que essas considerações são indispensáveis tanto para as reflexões que se seguem, no que diz respeito ao que se convencionou denominar "papel sexual", quanto por estarmos atuando como psicoterapeutas justamente no estreito limite entre o real e o imaginário, de cujo relevo depende a categoria do papel desempenhado.

## O "PAPEL SEXUAL" E O SEU DESENVOLVIMENTO ATÉ O ENCONTRO

Analisemos agora o termo "papel sexual" ou "papéis sexuais". Singularidade ou pluralidade?

Quando nos referimos a papéis, em geral o fazemos de duas maneiras: precedidos ou não pela preposição "de". Se utilizamos "de", estamos especificando cada papel em sua configuração própria, sempre referido ao seu agente: papel de pai, papel de ingeridor, papel de escultor, papel de duende e assim por diante. Não empregando a preposição, estamos qualificando a palavra papel, ou seja, categorizando-a: papel psicodramático, papel social, papel imaginário etc.

Ora, se comumente empregamos o termo "papel sexual", estamos diante da qualificação e da categoria, sem que as reconheçamos explicitamente. Por outro lado, estamos implicitamente admitindo que sob a denominação de "papéis sexuais" existe um conglomerado de papéis. Assim, ou bem conceituamos a categoria a que explicitamente não nos propusemos criar até agora, ou especifiquemos o conglomerado de papéis sob o rótulo de "papéis sexuais" agrupados, classificando-os segundo as categorias que já admitimos como existentes. E, se concluirmos pela última, fica evidente a inadequação de continuarmos utilizando o termo "papel sexual".

Tomemos algumas afirmações e indagações contidas em trabalhos de psicodrama e de teoria de papéis:

Ao discutir com muita propriedade a validade do conceito de papel psicossomático, e propondo a sua substituição por "zona corporal em ação", Mezher pergunta a si próprio se haveria um "papel sexual" no recém-nascido ou quando esse papel começaria a operar. Ele parte do princípio de que a interação por meio de um papel só pode ocorrer a partir do momento em que haja identificação do Eu e do Tu, na fase do espelho da matriz de identidade, ao mesmo tempo que assinala que essa interação se dá por intermédio de papéis familiares, principalmente na relação mãe-filho. Sublinha a importância da experimentação das zonas corporais na constituição das vivências de corporeidade e a consequente identidade corporal e consciência do próprio Eu. Podemos depreender de suas afirmações que, no que diz respeito ao desenvolvimento sexual, em dado momento está presente a questão de uma sensação particular ligada à questão da identificação de um papel e também do Eu.

Andréa Capelato, Gonçalves dos Santos e Naffah Neto, processando uma sessão de psicodrama[67], percorrem com a protagonista uma trajetória que se inicia na "indiscriminação dos desejos" em nível pessoal e sexual numa primeira etapa, correspondente à matriz de identidade total e indiferenciada, até a "cristalização da identidade sexual" na fase do espelho, quando os "papéis sexuais" são parcialmente indiscriminados. Referem-se à "relação homossexual mãe-filha", "dificuldade de inverter papéis sexuais" (papel de homem e papel de mulher) e medo de perder contato com o próprio desejo, levando a não inverter papel na cena que envolve "papéis sexuais", cena esta em que um adulto é desejado e acariciado por outro adulto. "Papel sexual", aqui, aparece no sentido de identificação sexual (homem e mulher), também referido à escolha do parceiro para uma relação sexual e relacionado com desejo e ação no contato físico-sexual entre dois seres humanos. Também para esses autores a noção de matriz de identidade permeia o "desenvolvimento sexual".

Pamplona da Costa e Pluciennik são dos primeiros que, separadamente, se ocuparam, dentro do psicodrama, do estudo da homossexualidade. Enfocando, entre outros aspectos, a discriminação social a que os homossexuais ainda estão sujeitos, o primeiro expressa seu ponto de vista definindo o ser humano como bissexual e se pronuncia acerca dos "aspectos homossexuais de nossa personalidade"[68]. O segundo, defendendo a especificidade de alguns pontos da relação entre homossexuais, diz da "falácia de tentar compreender os papéis sexuais dos homossexuais usando como ponto de referência o modelo relacional heterossexual, que leva ao absurdo da dicotomização ativo-passivo e, ainda mais absurdamente, sobrepondo-o ao eixo masculinidade-feminilidade"[69]; ou, ainda, contrapondo ironicamente a ideia de que a homossexualidade seria um estado fóbico: "[...] qualquer heterossexual, da mesma forma, perde o medo do contato homossexual, e pode ter prazer nele, se treinar o suficiente"[70]. Pamplona da Costa, pois, novamente nos remete à necessidade da compreensão do desenvolvimento sexual. Já Pluciennik parece empregar o termo "papéis sexuais" não só ligado à prática sexual como também a uma relação de dominação e de definição da diferente atuação social que reside na diferença biológica entre os sexos. Por outro lado, na inter-relação entre a direção do desejo e a prática sexual, leva em conta a noção de treinamento de papel.

Rocheblave-Spenlé não emprega o termo "papel sexual" e sim "papéis do sexo". Parte do princípio de que sobre os indivíduos pertencentes a uma e outra categoria do sexo biológico são estruturados papéis sociais com características próprias, o que depende de um modelo social. Sua análise se prende à conduta, ou, mais especificamente, à posição do homem e da mulher na sociedade. Considera a diferença de *status* entre os dois em face da estruturação diversa da posição de um e de outro. Enquanto a mulher é posicionada com base nas funções familiares (mãe e esposa), o homem se define com maior amplitude porque a base é o papel profissional, o que acaba configurando uma relação de dominação (poder). "Enquanto existe uma variedade de *status* profissional para o homem, o papel tradicional da mulher fica encerrado em limites estreitos: preparação de refeições, de limpeza e de manutenção.[71] Assim como o menino é reprimido quando chora, a menina é impedida, por exemplo, de jogar futebol com argumentação semelhante: "chorar é coisa de mulher, de maricas", "jogar futebol é coisa de moleque". Segundo a autora, o conceito psicanalítico da inveja do pênis nada mais seria que a consagração simbólica de tais diferenças de *status*, cuja origem é social, e não o inverso.

Bem a propósito de tais diferenças, os trabalhos de três psicodramatistas, Alice Kiyomi Yamada[72], Camila Salles Gonçalves[73] e Therezinha Paula Moncau[74], ilustram o peso de tais diferenças: Camila Gonçalves reclama os mesmos direitos dos psicoterapeutas homens e, na procura de uma aliança com aqueles a quem chama de "sensíveis", forma um grupo exclusivamente de mulheres que acaba por ilustrar parte de seu estudo. Alice Yamada relata em sua experiência como psicodramatista as vicissitudes do desenvolvimento de seu papel profissional contraposto aos preconceitos sociais dirigidos à mulher pelo grupo que dirigia e por ela própria. No trabalho de Therezinha Moncau, em que ela analisa o papel de ego-auxiliar, incluindo sua experiência, e discute a valorização desse papel profissional, encontramos, precedendo o índice, a seguinte frase de Moreno: "A mãe é o exemplo ideal de um ego-auxiliar instintivo". Embora Moreno se expresse de maneira mais ampla, extrapolando o simples papel profissional, com algumas variantes poderíamos também estabelecer pontos comuns entre o papel de mãe e o de professora, o de pediatra, o de nutricionista etc., mais facilmente sancionáveis profissionalmente para a mulher.

É curioso me perceber no momento em que redijo este pensamento, minha relutância em dar às mulheres psicodramatistas o mesmo tratamento dado aos homens, em que pesem as normas bibliográficas. A nenhuma delas quis chamar só pelo sobrenome. A minha sensação é a de que as descaracterizaria como mulheres, pois socialmente o sobrenome é originalmente o nome de família do "homem que a constituiu", e em geral o tratamento pelo qual ele é profissionalmente conhecido. Não me lembro de nenhuma mulher que eu conheça ou que eu chame pelo sobrenome.

Refletindo, nessa perspectiva, sobre tantos dados importantes, parece-me fundamental que se considere, por um lado, o papel social de homem e o papel social de mulher, isto é, papéis sociais relativos à condição sexual; e, por outro, o papel que o homem e a mulher desempenham na aproximação e no contato sexual, ou seja, papéis relativos à manifestação da sexualidade no próprio corpo e na inter-relação. Penso que esses dois parâmetros englobam os papéis ligados à sexualidade, que intuitivamente vêm sendo denominados "papéis sexuais".

No corredor de um restaurante do centro de São Paulo lê-se a seguinte placa: "Cavalheiros". E na porta do banheiro: "Homens". Alguma coisa acontece no trajeto entre o salão e a privada capaz de modificar o papel — o social e o privado, a passagem e o impedimento entre os dois, o modelo e a condição biológica.

Ora, ser homem e ser mulher ultrapassam um mero acidente genético. Implica, é claro, o desempenho de papéis sociais. O *script* começa a ser traçado antes mesmo do nascimento: "Se for menino, vai ser corintiano". Nas portas dos quartos das maternidades, dependendo das inspirações de *marketing*, podemos ver lacinhos de fita cor-de-rosa ou azul, ou luzes de uma cor ou de outra, ou uma bonequinha de pano, ou ainda uma minicamiseta de um clube qualquer de futebol etc. As expectativas a ser correspondidas são muitas, começando pelo próprio círculo familiar. As meninas ganham panelinhas e os meninos, revólveres de plástico para brincar. O papel social de homem e o papel social de mulher estão em todas as bocas cotidianamente sendo questionados. Nas salas de psicoterapia, a todo momento estamos diante de descobertas que localizam tal ou qual atributo não em homens ou em mulheres, mas em pessoas. Penso que o mundo seria melhor se, em vez de nos dividirmos entre machistas e feministas, palavras tão gastas, fôssemos todos pessoístas. Imersos que estamos, nós mesmos, nesse processo, é natural que tais limites se tornem muitas vezes confusos e imprecisos. Na verdade, em se tratando de sociedade e de pessoas, tais papéis sociais, o de homem e o de mulher, não podem nunca deixar de ser mutáveis, refletindo portanto uma dinâmica social, individual e política, exigindo permanentemente uma nova formulação e um novo posicionamento. Não me cabe, pois, nem acho possível, defini-los. Posso apenas tentar situá-los hoje e sempre dentro de mim e para mim, o que retornará ao outro em minha interação com ele, e dele para mim em sua posição particular, de mim para a sociedade e da sociedade para mim. E assim por diante, dentro de uma mesma classe social mais especificamente, ou no intercruzamento delas. Está em qualquer novela das nove.

Quanto ao papel ou papéis que o homem e a mulher desempenham na aproximação e no contato sexual, além do papel social de homem e do papel social de mulher, entram em jogo muitas outras variáveis, e desconfio mesmo — aliás, tenho certeza — de que nunca conseguirei captá-las todas. Levantarei, então, aquelas que puderam me ocorrer: o desejo, a mecânica sexual, a procriação, o afeto e o encontro.

Quando me referi a esses papéis classificando-os como decorrentes da manifestação da sexualidade sobre o próprio corpo e na inter-relação, tinha em mente o esforço de compreender como se dá o seu desenvolvimento. Deixamos Mezher lá atrás se perguntando, ao mesmo tempo que questionava a validade de papel psicossomático, se no recém-nascido haveria um "papel sexual" e quando ele operaria. Porque concordo com ele nesse questionamento, e tomando portanto seu conceito de zona corporal em ação, semelhante ao de "corpo parcial" de Naffah Neto[75], caracterizaria essa zona precursora de um papel ou papéis, através do qual ou dos quais se manifestaria mais tarde a sexualidade, como aquela composta pela pele do bebê em contato com a pele de outra pessoa, principalmente a da mãe. Não é por descuido que Lemoine considera o laço sexual o mais biológico dos laços, reproduzindo a primeira ligação do ser humano e repousando depois simbolicamente sobre a diferença dos sexos. Rocheblave-Spenlé, por sua vez, aponta que é pela relação com a mãe que a criança interioriza a afeição.

De outro ângulo, tomando um pouco da visão de Tiba e de Dias, que estudaram o Núcleo do Eu, o desconforto e a tensão corporal constituem fatores importantes na estruturação dos "papéis psicossomáticos", ou, melhor dizendo, na focalização de uma zona. A criança, quando no mundo indiferenciado da primeira etapa da matriz de identidade, "é toda fome ou toda saciedade"[76]. Essas afirmações coincidem portanto com a bipolaridade psicanalítica do prazer-desprazer. Por outro lado, Moreno nos lembra que tanto um orgasmo sexual quanto uma defecação, por exemplo, podem resultar numa catarse somática.

Levando em conta que a criança, segundo Fenichel, só tem despertadas suas zonas erógenas e portanto sua genialidade por volta dos 4 ou 5 anos, dependendo até aqui, nessa questão, da manutenção biológica e não da aprendizagem, podemos supor, então, que na primeira fase da matriz de identidade o bebê pode ser todo ele, através do contato de sua pele, parte de uma zona em ação com o outro, de alguma forma, sensorialmente, interiorizando a afeição e antecipando parte do que seria mais tarde o encontro, sem no entanto estar presente nenhum elemento de genitalidade. As descargas tensionais ou a catarse somática, como quer Moreno, correriam por conta do ato de mamar, de defecar, ou seja, da ação de uma zona. O choro, o esperneio ou uma careta, por exemplo, seriam manifestações dessa tensão que funcionariam como iniciadores do aquecimento para a ação da zona correspondente a essa tensão.

Com a passagem da criança do "Primeiro Universo" para o "Segundo Universo", de um mundo em que tudo é sensação, para o reconhecimento do Eu e do Tu, começam a se delinear os primeiros papéis sociais e os papéis imaginários, fantásticos ou psicológicos. Dessa maneira, a criança passa a vivenciar a presença e a ausência da mãe, do outro, e consequentemente incorporar mais claramente a afeição. Já nesse período poderá começar a perceber as imposições sociais quanto ao papel de homem e de mulher contidos em um simples não que se repete. Por volta dos 4 ou 5 anos, com a genitalidade, descobre a diferença entre os sexos, voltando-se para a mãe ou para o pai, tentando identificar-se socialmente. Poderíamos dizer que o processo de reconhecimento do Eu e do Tu se amplia, já que do simples "eu sou eu e não tu", e do "tu não és ele", passa a "eu sou eu mais parecido com ele que contigo". Passa a fazer parte de um dos dois grupos possíveis. Ora, este voltar-se para o outro, para o complemento, restabelece a relação dual, agora "em corredor" ("o outro é só meu"). Concordo inteiramente com La Laina Jr. quando diz que o restabelecimento da díade é necessário.

Ora, a linguagem, e com ela a simbolização e o jogo dos papéis imaginários em confronto com o real, se encarrega de construir as teorias sexuais infantis. As novas percepções e impressões se inscrevem num registro prévio que terá de acomodá-las mantendo suas partes mas inevitavelmente modificando-o. Conceber, por exemplo, o parto como uma expulsão anal. A manipulação genital por seu lado torna-se uma fonte de prazer e de descarga tensional. Uma maior complexidade é tecida nessa etapa em função da interpenetração de diversos papéis em início de desenvolvimento e, portanto, ainda não integrados entre si, compondo um cacho (*cluster*) que permanecerá na matriz de identidade do indivíduo, podendo favorecer transferências futuras, dependendo de como esse arranjo é incorporado. Assim, nessa fase, várias correlações vão sendo feitas: beijo com afeto e com prazer, manipulação genital com descarga tensional, nascimento de um bebê com mãe etc.

Com a "crise da triangulação"[77], a criança percebe que não detém a exclusividade da relação com o outro. Surge um Ele, que se relaciona com o Tu, independentemente do Eu. Deixando de lado a forma como ela resolve o impasse que será a base de sua socialização, levantemos alguns pontos que me parecem relevantes para entender o desenvolvimento da sexualidade e não têm sido com ela convenientemente correlacionados. Comparemos algumas afirmações de Bustos com o pensamento de Rocheblave-Spenlé.

Bustos, estudando o encontro na relação entre o psicoterapeuta e o cliente, demonstra a assimetria desse vínculo. Assinala que o vínculo assimétrico não tem uma denominação própria (pai-filho, patrão-empregado, terapeuta-cliente), o que não é o caso do vínculo simétrico (amantes, amigos), que denomina a qualidade horizontal e unívoca da relação, o que difere do simples plural (pais, chefes etc.). A assimetria não implicaria a impossibilidade de encontro, mas supõe uma responsabilidade de peso diferente para os integrantes do vínculo. Qualquer transformação desse vínculo geraria sofrimento naquele que ocupa a escala inferior da hierarquia, porque as bases do código do vínculo original jamais são alteradas.

Em outras palavras, Rocheblave-Spenlé diz que os papéis mantêm entre eles relações hierárquicas e se definem pela sua função na cadeia superior e inferior. No entanto, existem "papéis paralelos", especulares. O papel de sócio, por exemplo, supõe a existência de outro sócio. Entretanto, acrescenta: "Quando a reciprocidade se fundamenta em fatos biológicos, os papéis não são intercambiáveis — assim, os papéis de marido e de mulher, de pai e de filho não podem ser trocados, pois, mesmo que a criança venha a se tornar pai um dia, a recíproca não é verdadeira"[78].

Ora, o primeiro modelo social de relacionamento é por conseguinte assimétrico e não intercambiável. Nele a criança investe seu desejo e suas expectativas, pois "toda dinâmica de papéis gera expectativas de conduta[79], e um dia descobre que não detém a exclusividade da relação. Depara com a assimetria da relação. Penso que nesse momento inicia a procura de um par que restabeleça a simetria que nunca existiu, a não ser dentro dela, porque, no entrechoque entre as expectativas diversas de conduta nessa inter-relação de papéis, a escolha feita por um e por outro, mesmo que mútua, não obedece aos mesmos critérios sociométricos. E, como uma eleição é determinada pelos atributos do papel, não havendo correspondência das expectativas, estas serão transportadas télica ou transferencialmente para um outro. Depreende-se disso, pois, que, no curso do desenvolvimento sexual, a consequência natural é a busca da simetria, e o obstáculo que impede que se alcance esse objetivo é a manutenção da assimetria primária como modelo.

A adolescência surge como o segundo pico do reconhecimento do Eu, que se inicia na primeira infância. O surgimento dos caracteres sexuais secundários obrigam a uma nova tomada de consciência do corpo. Sedimentam-se alguns papéis precariamente desenvolvidos e surgem outros.

Esta frase de Moreno bem poderia ilustrar as hesitações da adolescência: "Há papéis que se desempenham antes de ser capazes de aceitá-los; e os que se aceitam antes de se poder desempenhá-los"[80]. Rocheblave-Spenlé observa que, embora se ofereça hoje ao adolescente uma vasta gama de escolhas profissionais, esse oferecimento também o lança num universo de competição. Além disso, à tensão sexual a que são submetidos se acrescenta uma procura de situá-la num modelo sexual ainda não definido e que seja socialmente aprovado, que desejam distanciados do modelo de conduta sexual de seus pais. A possibilidade biológica e social para o contato sexual está presente tão fortemente quanto os impedimentos interiores. Todo aprendizado do papel social de homem e do papel social de mulher que foi feito até aqui se estende ao ensaio da prática da sexualidade, que vem exigir do adolescente uma integração mais refinada a que ele ainda não pode atender. O papel de copulador, vivido frequentemente apenas no imaginário, no ato da masturbação, esbarra no papel de namorado. Muitas vezes, ainda hoje, o adolescente homem se vê em relações sexuais desprovidas de afeto que não pode aceitar, desejando ardentemente sua namorada, enquanto ela, aceitando as relações sexuais com ele em campo de amor, se sente impedida de realizá-las por imposição social. Talvez seja essa uma das razões por que Aguiar Netto nos acena com essas duas alternativas sociais para o sexo: "consumo ou repressão".[81] Não é de estranhar, portanto, que nesse tortuoso caminho de desenvolvimento, em que os papéis cada vez mais se aglomeram e se interpenetram, esbarremos em tanta transferência — restos das diversas etapas da matriz de identidade, que nunca se resolvem por completo. É anular a existência pensar em papel desenvolvido no sentido de acabado. Os papéis ligados à sexualidade, como qualquer papel, sempre poderão se desenvolver. Moreno expressa bem esse ponto de vista dizendo que "o conjunto de papéis através dos quais um indivíduo se expressa modifica-se com o ambiente, idade e cultura a que pertence o indivíduo".[82]

Finalmente, sendo a relação sexual o contato de dois corpos, se ambos são capazes de se abrir simétrica e espontaneamente um para o outro, parte do mundo, num momento de profundo compromisso existencial e em pleno exercício da liberdade, cada um experimentará com o outro, no instante em que se juntam, a vivência cósmica do encontro como algo novo e único, sem que se fique com a impressão de estar devolvendo ou recebendo de volta alguma coisa perdida no passado.

## A INTERSEÇÃO COM A MORTE: FOCO, CACHO DE PAPÉIS E CATARSE DE INTEGRAÇÃO

Um astrônomo disse certa vez que em ciência, quando se realiza um trabalho, só depois de colocada a última pedra é que se pode ter certeza de que todo o conjunto não vai desmoronar. Houve um instante que quase tive a sensação de me perder no meio do caminho, tantas são as transversais. Voltemos, então, um pouco, aos casos que deixamos para trás no início do capítulo.

Revendo a sessão de Dulce, não podemos deixar de ver, na simbolização do Cristo nela própria incorporado e na mãe morta entre suas pernas, a confluência existencial entre a consciência de morte, a do papel de mulher como condição humana (submissão), a do papel de mãe (mulher como mãe — gravidez e abortamento) e o nexo transferencial quanto à manifestação plena de sua sexualidade (orgasmo) e quanto a seu critério de escolha, sociométrico, de um parceiro para uma relação amorosa (a direção do desejo e do afeto com impossibilidade de encontro).

Lúcia, no desenvolvimento de sua sexualidade, apesar de ter conseguido atingir o orgasmo nas relações sexuais com o marido, durante o processo de sua psicoterapia não chega a se encontrar com ele, distanciada que está da emoção, cristalizada transferencialmente em razão de um luto não elaborado. Atualmente Lúcia já discute os critérios de escolha que a levaram a se casar, procurando revê-los no momento presente.

Sueli, ao depositar no filho suas fantasias de perigo e morte, acaba encarnando em sua primeira vergonha de menina, em face de sua sexualidade, o mito da expulsão do paraíso, em que Adão e Eva tornados mortais se envergonham de sua nudez, cobrindo-a com uma folha de parreira.

Helena, Júlia e Ana também intercruzam a sexualidade (orgasmo) com luto não suficientemente metabolizado (filhos e irmãos mortos), acrescido do grande peso da culpa.

Tomemos um primeiro caminho de reflexão:

A primeira (no sentido de mais arcaica) referência à inter-relação de papéis que encontro na literatura de psicodrama faz menção aos chamados "papéis psicossomáticos". Dias e Tiba, descrevendo na formação do Núcleo do Eu a fase em que se estruturaria o "papel de defecador", que se segue ao de "ingeridor", apontam para o surgimento de uma nova zona correspondente ao início da dentição, de modo que a tensão corporal se deslocaria da zona anal para a oral, e desta para aquela. Em outras palavras, pensando em termos de zonas corporais em ação, há um deslocamento de foco de uma zona para outra, ou o seu assentamento nas duas.

É fácil deduzir, portanto, que durante o processo de passagem do "Primeiro Universo" para o "Segundo Universo", em que o real e o fantástico ou imaginário vão progressivamente se separando até a organização dos primeiros papéis sociais e dos primeiros imaginários, um deslocamento alternado de foco ou uma múltipla focalização simultânea também ocorra da mesma forma. Esse efeito não só é, a meu ver, a base da compreensão do efeito cacho (interpenetração de papéis) como também nos permite entender melhor, em nível de papéis, os fenômenos tele, empatia e transferência.

Tele, conceito próprio do psicodrama, na condição de fenômeno da interação, supõe uma vivência totalizadora mútua, em que a integridade do biológico, do social, do intelectivo, do perceptivo e do afetivo se fazem presentes nos seres em relação em dado momento — é o campo limpo e iluminado do acontecer existencial entre seres onde se dá o encontro. Para que isso ocorra, é necessário o preenchimento de condições muito difíceis de alcançar, de repetir e, mais ainda, de manter. É por essa razão que sua vinculação à categoria momento se faz indispensável. Se pensarmos em deslocamento ou multiplicidade de foco e em papéis, teremos de admitir como condições para tele um perfeito equilíbrio entre a percepção integrada (não necessariamente consciente) dos diversos papéis disponíveis na relação para um e para o outro, o que terá de ocorrer nos dois ou mais polos da relação; a aplicação mais favorável e portanto espontânea de um mesmo critério sociométrico entre os envolvidos na relação, resultando em mutualidade real; e a escolha e o desempenho de um papel ou papéis, naquele momento, inteiramente espontâneos e adequados à escolha e ao desempenho do papel do outro. Assim, deverá haver uma clara discriminação dos focos que operam nesse instante, e tal discriminação, por serem os focos localizados tanto no real quanto no imaginário e presentes em papéis quer sociais quer fantásticos, quer sociais quer pessoais, terá um caráter existencial integrando percepção, ação e afeto. Mais ainda: se considerarmos, como Naffah Neto considera, a própria percepção o iniciador fundamental, depende dela o aquecimento para tal processo. E se tomarmos o aquecimento, como o definiu ainda Naffah Neto, como o processo em que o indivíduo num momento "se abre à própria situação e deixa-se penetrar por ela, tentando apreender o seu movimento e posicionar-se frente a ele, formando-se entre seu corpo e a situação uma rede de significações, onde todos os seus sentidos e os vários segmentos do seu corpo passam a articular-se e a rearticular-se numa totalidade expressiva"[83], temos complementada a visão da interpenetração de focos e de papéis.

Em vista disso, não causa espanto que na tentativa de compreender os mesmos fenômenos alguns psicodramatistas elaboraram a teoria do núcleo do Eu. Nela, não só é privilegiado o desenvolvimento dos "papéis psicossomáticos", que uma vez formados delimitam entre si as áreas corpo, mente e ambiente; como, para explicar a interpenetração de focos e de papéis, criou-se o conceito de porosidade dos papéis psicossomáticos, da interpenetração das áreas e da vicariância, um mecanismo compensatório de defesa. Ora, sem ignorar o valor de tal contribuição, o conceito tão abstrato quanto imprecisamente definido de porosidade de papel me parece fruto de pura causalidade mecânica, embora reflita a mesma preocupação de entender e conceituar o fenômeno.

Se a tele exige a convergência feliz de tantas variáveis, no processo da inter-relação humana, teremos como consequência natural um maior número de relações empáticas e transferenciais, sendo portanto possível a concomitância de uma relação mutuamente transferencial, multiplamente transferencial e empática de um lado e transferencial de outro. É o mais comum no gênero humano.

Penso que em psicodrama não damos a devida atenção à empatia, porque raciocinamos em termos de tele, embora estejamos todos a confirmá-la em nossos clientes em nosso trabalho diário. É evidente que se falarmos em empatia na inter-relação, sendo a sua direção unilateral, teremos de admitir que, sempre que ela acontece num extremo da relação, no outro estará presente a transferência. Ou, se tele é um conceito globalizante, qualquer mutualidade real parcial, seja em nível perceptivo, compreensivo, afetivo ou qualquer combinação em que alguma coisa fica de fora, poderia ser designada como a ocorrência de empatia mútua, o que difere de tele.

Imaginemos agora, ainda na inter-relação, que no processo de alternância ou de multiplicidade de foco, como luzes de intensidade variável e diferentes entre si, tenha se destacado para um indivíduo, em função de um brilho maior, num dado momento, particularmente uma região do imaginário que, por sua força, é capaz de obscurecer num conjunto de memória sensações, atos, papéis, reflexões e sentimentos, outros focos, diminuindo a nitidez do real. O iniciador — nesse caso, qualquer estímulo proveniente da inter-relação —, em face desse foco mais destacado desse imaginário, deflagra um processo de aquecimento que com ele se relaciona, mas que resulta em ação defasada de seus fins no real. Querendo destinar-se a esse real, é justamente a ele que não se destina, aparentando no entanto que assim o faz. A esse mecanismo chamamos de transferência. E é porque tal processo pode ocorrer simultaneamente em cada um dos envolvidos na relação, mas em caráter isolado, porque o foco de um não é o foco do outro (tudo se dá no intrassubjetivo), que me referi há pouco à relação mutuamente transferencial. Talvez devesse dizer simultaneamente transferencial. E também porque nada impede que mais de um foco do imaginário seja ativado na relação, que denominei essa variante relação multiplamente transferencial, embora na verdade o mais correto seria focalização multiplamente transferencial. É claro que várias combinações são possíveis: focalização transferencial múltipla de um lado e empatia do outro, focalização simultaneamente transferencial múltipla, múltipla de um lado e única ou simples do outro, e assim por diante. Esses pontos lançam um pouco mais de luz ao que apontei no Capítulo 4 acerca de morte, separação, paixão e transferência, isto é, às muitas possibilidades de entrelaçamento transferencial da morte com a separação ou a simples ausência e com a paixão, por isso mesmo caracterizada por mim como irreal e unilateral.

A focalização transferencial múltipla também explica por que em um trabalho psicoterápico e particularmente psicodramático um mesmo ponto de partida, uma mesma cena, contém interpretações e caminhos diferentes. Quantas vezes em psicodrama, no processo psicoterápico, uma mesma queixa leva à montagem de cenas diferentes ou a uma mesma cena com desdobramentos diversos em momentos diversos.

Fazendo essa correlação entre foco, papéis, cacho de papéis, tele, empatia, transferência, iniciadores e aquecimento, e acrescentando a espontaneidade num conjunto articulado, fica mais fácil compreender o que chamamos de catarse de integração.

O trabalho psicoterápico começa pelo negativo da fotografia. E nessa câmara escura que é o processo de psicoterapia o psicodramatista, tentando revelar a fotografia, começa pelos papéis.

Ora, das três tendências assinaladas por Rocheblave-Spenlé, entre aqueles que estudaram a teoria de papéis — seja a de considerar papel e personalidade nitidamente separados, de reduzir a personalidade a papéis ou a de encará-los como um conjunto de elementos relacionais e individuais profundos —, a teoria do psicodrama aponta nitidamente para a terceira.

Por outro lado, dando mais razão à cadeia de pensamento desenvolvida nesta parte do capítulo, Rocheblave-Spenlé acrescenta:

> Embora, teoricamente, a interação possa ser definida como um encontro[84] entre dois papéis, as relações intersubjetivas reais se apresentam como um fenômeno infinitamente mais complexo. Mesmo que a situação seja centrada em uma interação entre dois papéis determinados, cada um dos integrantes traz com ele uma multidão de outros papéis que, mesmo latentes num dado momento, formam o fundo sobre o qual se destaca o papel atualmente jogado e que lhe dá sua fisionomia particular.[85]

E mais: "Os papéis não podem entrar em conflito independentemente daqueles que os assumem"[86].

E ainda:

[...] a personalidade é a resultante da interação entre o eu e o papel, o próprio eu constituindo o núcleo profundo da personalidade com o qual se identifica o indivíduo. O conflito se dá, pois, entre dois níveis, um superficial e outro profundo. Nesse contexto, o conflito equivale para o indivíduo a jogar um papel com o qual ele não pode estar de acordo, porque isso contradiz suas convicções e suas tendências mais íntimas.[87]

Como vemos, não são somente os psicodramatistas que se preocupam em relacionar papéis com o eu e papel com papel, e em captar um conflito a partir de um papel. Teoricamente, Rocheblave-Spenlé confirma a teoria e a prática psicodramática, em que a partir do jogo de um papel podemos acompanhar como em camadas a marcha do conflito a um nível mais profundo. Estamos portanto falando de modos de ação do psicodrama.

Ora, sabemos que, de tais modos, a catarse de integração[88] é o modo de ação por excelência do psicodrama. Barrucand[89], aliás, assinala que, se inicialmente a catarse (não se refere aqui à catarse de integração) era concebida como correspondente à passagem do imaginário para o simbólico, o conceito de catarse de integração implicaria a passagem do simbólico para o real, obrigando a um reescalonamento de valores e a um redimensionamento das relações, a partir de uma nova abertura para o autoconhecimento.

Naffah Neto define a catarse de integração como uma liberação de espontaneidade que "desata os nós de uma rede até o nó fundamental"[90].

Castello de Almeida a entende como "a mobilização de afetos e a união de todos os potenciais, físicos e psíquicos, do indivíduo para a compreensão fenomenológica do corte psicológico-existencial que a ele é dado num processo de coexistência, coexperiência e coação [...]".[91] É ele ainda que admite a ocorrência de catarses parciais passíveis de se integrar durante um processo psicoterápico em psicodrama.

Bustos, por sua vez, destaca que o seu aspecto terapêutico é o "cume do processo de integração progressiva"[92]. Segundo ele, a integração se dá à medida que se presentifica o passado, quando se revê o caminho do conflito. "A catarse é só o cume de um processo e a integração é o próprio processo, gradual, às vezes lento e penoso"[93]. Para ele, há tantas variedades de catarse quanto afetos e conflitos. Por meio dela o indivíduo tomaria posse de papéis insuspeitados em estado latente. O *insight* dramático e a compreensão contribuiriam também para a integração do processo.

Estes autores convergem basicamente em dois pontos:

a) a espontaneidade agida em dado momento desvendando o Drama;
b) a continuidade integradora da descoberta em um processo de dimensionamento e desempenho de novos papéis e de redimensionamento e desempenho renovado de papéis já existentes.

Ora, a atuação psicoterapêutica se fazendo justamente sobre o intercruzamento transferencial de papéis, a partir de focos situados no imaginário, facilitará a delineação mais nítida de cada um. Aqueles situados no imaginário deixarão progressivamente de ofuscar qualquer outro em um "diminuendo", se o modo de ação for apenas o de *insights* dramáticos e o da compreensão, ou então na preparação de caminho para uma catarse de integração. Se, por outro lado, o foco é atingido diretamente pela catarse de integração, o ofuscamento cessará de imediato e os outros surgirão como um *flash* vislumbrado. O processo que se segue, e daí a integração, é o de conhecimento e reconhecimento de cada foco e de cada papel, a sua formulação ou reformulação e a sua experimentação existencialmente vivenciada.

Eis por que eu disse no começo do capítulo que Dulce e Ana atingiram a catarse de integração. O critério é sempre evolutivo. No primeiro caso, por estar mais detalhado propositalmente que o segundo, fica mais claro. Mas em ambas a interseção entre morte e sexualidade compôs o nó transferencial — que, uma vez desatado numa sessão de psicodrama no correr de um processo, permitiu às duas uma sucessão de descobertas e de vivências em diversos papéis com novas maneiras de desempenhá-los, em que a conquista do orgasmo foi uma delas, talvez a mais simbólica e mais destacada.

Resta ainda estudar papéis mais específica e estreitamente ligados à morte, o que deixarei para o último capítulo. E, na impossibilidade de separar esses dois irmãos gêmeos, Eros e Tânatos, tentar compreendê-los um pouco usando o meio de que disponho, o psicodrama, é recuperar pelo menos uma parte do paraíso perdido.

# 6. Descansem em paz os nossos mortos dentro de mim

**UMA LACUNA EXISTENCIAL DO PSICODRAMA TEÓRICO**

As duas primeiras notas da música "Quadros de uma exposição", de Mussorgski, na orquestração escrita por Ravel, são tocadas por contrafagote e tuba, ou seja, pelo instrumento mais grave e o de maior massa dos que compõem uma orquestra sinfônica. Entre elas existe um intervalo musical ao qual corresponde determinada relação matemática, que, com o nome de quarta aumentada, quantifica e denomina a impressão sonora.

A sensação que essas duas notas despertam é indiscutivelmente soturna, grave, fúnebre, sensação essa experimentada, sem distinção e nas mais diversas culturas, a partir unicamente de sua sonoridade, assim como acordes muito dissonantes podem ser prontamente associados a dor.

Esse fenômeno inscreve-se certamente como um dos muitos elementos de um código humano universalmente reconhecido e que transcende a babel da linguagem falada ou escrita, capaz de simbolizar os diversos marcos da existência, entre os quais a morte, a partir das sensações e dos sentimentos despertados e possíveis que, sempre da mesma qualidade, mas de intensidade variável, são ou possam ser experienciados por qualquer pessoa.

A captação, pois, de um clima que toque a corda sensível de nossa percepção desperta a necessidade do símbolo para afiná-la com a de nossos semelhantes. Por outro lado, a referência ao símbolo, desvinculada do seu significado vivenciado, exige, para sua integração, que a ele se acrescente pelo menos uma modulação da tonalidade emocional que com ele se harmonize. Se a totalidade de seu conteúdo nos escapa, a forma como ele nos é transmitido torna possível captar pelo menos uma parte de seu significado.

Esse nexo sensorial corresponde a uma das etapas obrigatórias do aprendizado. Assim, mesmo sem saber o que é morte, a criança, ao ouvir falar dela, pressente algo de desagradável e de incômodo ligado à ideia transmitida, dependendo da forma da emissão da mensagem e das ligações que pode fazer com o que percebe se modificando à sua volta.

Retornando ao símbolo, procuremos agora correlacioná-lo com o modo de experimentar a vivência de separação, em termos de psicodrama, deixada em aberto na primeira parte do Capítulo 4 e com alguns aspectos da teoria de papéis discutidos no precedente.

Quando Lemoine[94] comenta o jogo Fort-Da do neto de Freud, o do aparecimento e desaparecimento do carretel, assinala que o carretel constitui um símbolo porque significa carretel, mãe e tudo que possa aparecer e desaparecer. O símbolo constitui um laço que estabelece tal ligação entre dois termos que permite que se reconheça a ambos como partes daquele conjunto, mesmo quando separados.

Em outra direção, Araújo[95], tecendo os primeiros fios de uma semiologia psicodramática, nos fornece subsídios que acrescentam alguns pontos à nossa reflexão. Introduz no psicodrama a necessidade de conceituar as imagens que são frequentemente concretizadas corporalmente em uma cena psicodramática. Lembra a diferença existente entre imagem e representação, a última supondo um retorno à consciência daquilo percebido anteriormente.

Ora, sabemos que na distinção entre imagem perceptiva real (próxima à da visão) e imagem onírica os elementos que compõem esta última provêm da fusão de diversas imagens e representações, que dessa forma conjugadas não estão ligadas a uma experiência anterior concreta. Voltamos, assim, à questão do foco. À imagem perceptiva real e à imagem onírica corresponderiam focos no real e no imaginário, respectivamente, capazes até de ser intermediados por um determinado símbolo.

Já deixamos clara no Capítulo 3 a importância do campo visual na formação do símbolo. Sendo os códigos predominantemente visuais, no que diz respeito a símbolo, não é nenhuma surpresa o encadeamento de imagens corporais concretizadas na cena de psicodrama ou de imagens internas (associação de imagens com olhos fechados, como em um sonhar acordado — psicodrama interno) desencadear um processo de desvendamento de um nexo transferencial — uma relação simbólica com um foco do imaginário. Na verdade, a focalização em uma imagem determinada (internamente ou exteriorizada numa cena), em dado momento, deflagra o desempenho de papéis imaginários e, em se tratando de uma dramatização, de papéis psicodramáticos, no sentido da compreensão vivencial do símbolo.

No que diz respeito especificamente à morte, já comentamos que na impossibilidade de simbolizá-la a criança pequena apenas poderá sentir os efeitos de uma ausência permanente. Ora, qualquer sensação diante de uma ausência, quer temporária, quer permanente, configuraria um foco primário que poderia hipoteticamente ser reativado diante de outra ausência de uma ou de outra qualidade, podendo ser incluído, diante dessa reativação, na estruturação futura de um símbolo ou num modo de desempenho de um papel. Por exemplo: é bastante comum em minha experiência pessoal o surgimento da cena do primeiro dia de aula como cena intermediária em uma dramatização. Vem associada a uma primeira cena ou a outras cenas ligadas à primeira, em que está presente seja um sentimento de solidão, seja uma situação de separação ou de morte. Tal cena do primeiro dia de aula, em que, em geral, se destaca a recusa de separar-se da mãe, principalmente, ou do pai, acaba se conectando com cenas em que uma separação temporária ou definitiva está presente. Essas cenas às vezes se configuram como a cena do desmame, ou então cenas em que o protagonista é uma criança pequena deixada num cercado ou no berço enquanto a mãe vai às compras, ou ao hospital para dar à luz outro filho, ou nunca mais volta porque falece, e assim por diante com infindáveis variantes.

Tomemos outro ângulo de exame: Moreno, antes de descrever o que entende por iniciadores e aquecimento, observa ser quase um milagre o bebê nascer vivo, dadas as circunstâncias hostis do ambiente diante da fragilidade aparente de seus recursos. Admite, pois, implicitamente, que a mobilização da espontaneidade do ser humano é a arma de que ele dispõe para a vida, ou seja, para a luta permanente contra a morte, anterior à própria consciência de ser e à capacidade de simbolizar.

Becker comenta que só pelo contato com a morte alcançamos a camada do *self* autêntico, e citando Freud diz: "[...] nos mais íntimos recessos orgânicos físico-químicos do homem ele se sente imortal"[96]. E o tormento de Kierkegaard: "[...] ter emergido do nada, ter um nome, consciência do próprio eu, sentimentos íntimos profundos, um cruciante anelo interior pela vida e pela autoexpressão e, apesar de tudo isso, morrer"[97].

Rocheblave-Spenlé critica a tendência americana de relegar ao velho uma "ausência de papéis" e de considerar decadência voltar o pensamento para a velhice e a morte, o que acaba levando-o a agarrar-se desesperadamente a seus papéis sociais anteriores, que não têm mais cenário nem complemento. Segundo ela, a atitude europeia de vincular a confrontação com a morte e a velhice à sabedoria e à serenidade contribui para uma melhor inserção social do velho sem necessidade de recorrer a papéis surrados de um drama acabado.

Uma pesquisa demográfica brasileira realizada há alguns anos na cidade paulista de Tietê revelou que, após o fechamento da única fábrica e da construção da rodovia Castelo Branco, foi intenso o êxodo de seus habitantes para as grandes cidades, que retornavam depois de aposentados, "sem papéis", para morrer, transformando o lugar em um cemitério de elefantes.

Ora, o exame das observações precedentes nos faz pensar que:

1. de um ponto de vista biológico, morte e espontaneidade como a mais nobre manifestação de vida estão sempre em oposição;
2. por ser intrínseca ao ser humano, essa dialética terá necessariamente de se integrar ao próprio eu, num vaivém de sensações de imperecibilidade e de consciência de mortalidade;
3. essa contradição está presente no desempenho de papéis, determinando mesmo seu modo de ação e, portanto, os próprios papéis;
4. levando em conta a vivência de separação e as focalizações que desembocam na estruturação dos papéis e no reconhecimento do

Eu e do Tu na passagem para o "Segundo Universo", essa convivência com os opostos é que tem de ocorrer, obrigatoriamente, para manter em movimento ativo qualquer impulso do crescimento humano.

Bustos considera a hipótese de formar-se o que ele denominou "papel gerador de identidade"[98], paralelamente à estruturação de outros papéis — um conceito muito próximo do de *persona*. Nesse papel estariam contidos os elementos de outros papéis, aos quais se ajuntam condutas próprias e características do indivíduo, o que permite que ele reconheça a si próprio. De outra maneira, já levantamos no fim do capítulo anterior as íntimas correlações existentes entre papéis e personalidade. Embora muitas vezes nos expressemos no sentido de "estar no seu próprio papel", na realidade estamos querendo dizer que num papel desempenhado em dado momento estamos sendo nós mesmos.

Sendo assim, desde que adquirimos a capacidade de simbolizar e de tomar e de desempenhar papéis, também se instalou em nós a consciência da própria morte. Embora em um nível geral, poderíamos talvez dizer que passamos a desempenhar desde então, ininterruptamente, o papel de ser morrente, cujo complementar simétrico é cada integrante de toda a humanidade, papel este gerador de uma angústia que todos podem compreender e compartilhar de forma direta ou simbólica, mas que cada um só poderá vivenciar no mais íntimo da própria solidão que esse papel nos confere.

Ao escrever sobre "A dimensão e o significado do corpo no psicodrama", Naffah Neto afirma: "É somente revelando o Drama que se pode transformar a existência"[99]. E, no ensaio "O psicossociodrama da Pietá", coloca a morte como condição da ressurreição, do renascimento, identificando-a com a Pietá de Michelangelo e com a nossa, em suas palavras. Ainda no primeiro desses dois ensaios, situa a posição do homem no mundo através do corpo cultural ou corpo simbólico, que difere do corpo pessoal desconhecedor de uma identidade social, postado que está no centro do universo. Entre os dois, acrescento, a consciência de ser vivente e de ser morrente talvez esteja contida no corpo que morre, capaz de ser o fulcro da alavanca que o impulsiona para a identidade social quando ainda não atingida.

Retornemos agora por breve instante ao Capítulo 1. Clarissa, no fragmento de uma sessão de psicodrama lá descrito, tem a convicção de que está morta. Joga, portanto, o papel imaginário de morto, que se confunde com o de espírito tentando uma vinculação no real. Real e imaginário estão interpenetrados.

Ingmar Bergman, em seu filme *Gritos e sussurros*, situa o espectador na perspectiva de uma morta. A câmara, como se fosse os olhos dela, devassa as reações das pessoas que presenciam o instante da morte, o quarto e os próprios pés da falecida. Esse papel de morto, em que tão bem Bergman nos colocou, só pode ser desempenhado no imaginário, na impossibilidade de um vínculo, trazendo com ele, numa chave mística, os papéis do *post-mortem* — como os de anjo, deus, espírito, demônio etc. —, também fantásticos, uma resposta transcendental a esse último ato, que rouba bruscamente do ator seus papéis e sua máscara, separando-o, definitivamente, ao cair do pano, da plateia e do elenco com quem interagiu e para quem viveu papéis.

De acordo com a concepção de universo de cada um, a morte representa, materialisticamente, a interrupção natural e súbita de um processo biológico, ou, de um ponto de vista espiritualista, uma passagem para outro estado desconhecido e construído no imaginário sob diversas formas, como no dilema ser ou não ser de Hamlet:

> Morrer... dormir, nada mais! E com o sono, dizem, terminamos o pesar do coração e os mil naturais conflitos que constituem a herança da carne! Que fim poderia ser mais devotamente desejado? Morrer... dormir! Dormir... Talvez sonhar! Sim, eis a dificuldade! Porque é forçoso que nos detenhamos a considerar que sonhos possam sobrevir, durante o sono da morte, quando nós tenhamos libertado do torvelinho da vida. Aí está a reflexão que torna uma calamidade a vida tão longa![100]

Se o psicodrama é, como diz Bouquet, uma proposta de liberar fantasmas, ou, como define Naffah Neto, "o movimento através do qual uma *psyché* rompe seu estado de alienação, descobrindo-se como constituída pelo 'Drama' e buscando, no interior desse Drama, a verdade histórica de sua constituição"[101], a morte, como parte essencial desse Drama, e como seu fantasma principal, terá de surgir necessariamente desalienada e inscrita indelevelmente na vida e na história de cada um de nós. É sua integração nos atos do viver que permite, percebendo sua proximidade, mobilizar as forças vitais para afastá-la toda vez que for possível, pois nem sempre sua presença é condição de inevitabilidade. Se na escala de um piano os sustenidos, mesmo se igualando aos bemóis respectivos no mesmo som, não impediram Bach de bem temperar o cravo com todas as harmonizações possíveis, nas cordas de um violino e na voz humana eles sutilmente se separam em refinadíssima melodia. Assim também a mobilização das forças vitais diante da morte é capaz de separar-se da aceitação desse destino em sutileza tal que lutar contra ele não se choca com o receber a morte pela porta da frente quando sua visita é mesmo inevitável, mesmo que tristemente, compondo as duas notas um mesmo acorde final, não importa se perfeito ou dissonante.

## OS MORTOS INSEPULTOS PERMANECEM EM TRANSFERÊNCIA ASSOMBRANDO OS VIVOS

Em Beacon[102] havia toda uma mística envolvendo a morte e a presença de Moreno. Uma porta que bate, um silêncio que paira no ar, são muitas vezes revestidos de uma aura espiritualista, como se ele estivesse por ali velando permanentemente por seus discípulos. Os fantasmas shakespearianos vagueiam bem à vontade pelas páginas de suas tragédias. O espectro de Banquo senta-se, no terceiro ato, na cadeira de Macbeth em pleno banquete. Vem lembrá-lo de seus crimes com sua presença muda e acusadora. Hamlet dialoga com a sombra de seu pai, que desvenda para ele a trama de seu assassinato e lhe pede vingança: "Não permitas que o leito real da Dinamarca seja um tálamo de luxúria e maldito incesto!"

Os mortos de Antares[103] não sepultados durante uma greve de coveiros voltam à cidade e vão aos poucos apodrecendo na praça, castigando os vivos com sua presença e mau cheiro, lembrando a eles aquilo que têm de podre, até serem expulsos a pedradas pela pequena população.

De uma forma ou de outra, todos acabamos por sofrer com a emanação de tais miasmas, de tal pestilência. Nossos mortos transferencialmente insepultos ora nos mantêm atrelados à sua sombra, ora nos acusam ou nos impõem pesados encargos que não podemos cumprir, conquanto possam também apenas continuar existindo na lembrança, sem transferências, até uma segunda e definitiva morte, a da total extinção pelo esquecimento a que o relegam as gerações que os sucedem, e que aos poucos vão apagando todos os seus vestígios sociométricos.

Uma atitude distanciada perante a morte, reforçada cada vez mais em nossa cultura, ou uma real impossibilidade de entrar em contato com ela, perpetuam sua negação e a transferência.

A morte, ela mesma objeto de forte repressão, torna-se frequentemente uma bandeira que se levanta diante de regimes políticos repressivos e opressivos. Os cadáveres de presos políticos desaparecidos e insepultos no coração dos homens estão presentes no labirinto das prisões chilenas do filme *Desaparecido*, de Costa-Gravas, nos lamentos das mães (hoje avós) da Plaza de Mayo em Buenos Aires e na memória recente e implacável da História do Brasil contemporâneo. São lutos eternos como o luto negro e fechado da vizinha da esquina de minha infância pelo filho único afogado. Não me lembro de outra cor na vida dela. É como num conto de Poe[104] em que, em transe, um personagem, não podendo reter com ele a vida da amada, arranca e guarda numa caixa os dentes da morta, o que dela mais lhe resplandecia.

E lá está Lênin, insepulto, macabro tornado histórico e simbólico, na Praça Vermelha, imputrescível. Se o cadáver de Stálin já esteve um dia também embalsamado lado a lado com o de Lênin, as reviravoltas políticas vieram enterrá-lo definitivamente na tentativa de obscurecer toda uma época. No entanto, como diz Becker, "é como se os russos não pudessem renunciar a Lênin nem na morte, e por isso sepultaram-no como um permanente símbolo de imortalidade"[105].

Os anseios de vida, em que se incluem até as aspirações sociais, acabam sendo representados também pela morte. A ressurreição do peronismo na Argentina, na década de 1970, foi marcada por uma complicada troca dos cadáveres de Evita e de Aramburu, o próprio coração do peronismo e a espada que o decapitou.

O tempo vai tornando encardido o que se lança no pergaminho da memória. Perde-se a visão e a medida das coisas. Em Oran, onde quis Camus situar a peste, preocupados que estavam todos com o abastecimento, não tinham muito tempo de pensar na morte. A fila para conseguir alimentos poupava a cada um o confronto mais direto com a morte que os dizimava. Se no início chocavam-se com a rapidez dos enterros sem velórios como medida sanitária, foram deixando de perceber que, se já não havia caixões, muito menos pano para mortalhas. Até mesmo quando muitos eram os mortos, estes passaram a ser depositados em duas valas comuns, não se misturando os cadáveres de homens com os de mulheres. Contudo, com os meses, esse decoro na morte também caiu por terra. Com o isolamento da cidade, os entes queridos viam-se bruscamente separados e percebiam quanto estavam para isso mal preparados. Sofriam e congestionavam o telégrafo e as linhas telefônicas. Porém, com o tempo, ainda com o tempo, mesmo os amantes passaram a sentir o remorso do esquecimento. Não podiam mais se lembrar com clareza dos gestos e das ações dos ausentes. "E lamentavam ignorar como empregariam elas o tempo, arrependiam-se de não se haverem informado a esse respeito, fingindo supor que, para um amante, o emprego do tempo da criatura amada não é fonte de todos os prazeres"[106].

E assim se faz dentro dos homens este memento e olvido dos mortos: ou bem teimamos em mantê-los insepultos em permanente assombração, ou nos desfazemos deles depressa demais. Ou bem não encontramos lugar para nós ou para nossas relações de vivos, tão obstruentes eles estão em nosso caminho, ou então mascaramos sua lembrança ignorando seu real significado.

São tantos os atestados desses sentimentos no dia a dia das sessões de psicodrama que é até difícil selecioná-los. Vejamos alguns:

Eunice tem um nódulo tireoidiano. Teme voltar a consultar o especialista com quem tem hora marcada para o dia seguinte e ter de operar. Acha que será enganada e está convicta de que tem câncer. "Não quero que tirem uma parte de mim. É a morte aos pedaços." No último exame gritou com o médico tão logo ele tocou em seu pescoço. O exame não foi realizado. Na sessão, tem a mão no pescoço e o acaricia. Fechando os olhos, "vê" um médico de branco que o examina e se transforma em um algoz. A mão do algoz é a de seu pai morto que a sufoca e a impede de gritar (ele impedia, em vida, qualquer manifestação sua de desagrado). A mão dele continua a sufocá-la e faz uma ferida em sua garganta, que Eunice não quer mostrar. Precisa fazer um curativo na ferida. Massageia o pescoço lentamente. Experimenta uma sensação de bem-estar. Vai ao endocrinologista no dia seguinte. Permite o exame sem tensão. É operada e o nódulo é benigno, como antes da cirurgia já parecia ser.

Mariana está intensamente deprimida. Não vê nenhuma esperança na vida. Não tem energia para nenhuma atividade. Percorre o caminho dessa depressão até uma cena em que, menina de 7 anos, está trancada num quarto. Está sozinha em casa. A mãe saiu. Olha para a janela e pensa em se atirar de lá porque não se sente amada. Chora assustada, reconhecendo o mesmo sentimento de solidão e o mesmo impulso suicida. Na sessão seguinte relata um sonho, que é dramatizado. No dia anterior tinha comparecido a um velório e experimentara uma sensação ruim. No sonho aparece o rosto da mãe e um livro, que representa as regras e acusações que aquela lhe faz. Surge uma sensação em seu rosto de algo que a embaraça. Cai, então, em um buraco escuro. Leva as mãos ao rosto e reconhece o que o envolve. Trata-se do véu que cobre o rosto dos mortos.[107] Arranca o véu com força, sai do buraco escuro e respira, inicialmente agoniada, mas aos poucos vai recuperando seu ritmo respiratório, ritmo de vida. Na semana seguinte não se encontra mais deprimida, voltando a procurar os amigos.

Sandra não tem interesse na vida. No espaço de um ano, uma amiga cometeu suicídio, o marido foi assassinado e um irmão morreu de repente. Ainda não enterrou seus mortos.

Carminha perdeu em cinco anos o marido, dois filhos e todos os irmãos. Todos de morte súbita. O marido e os filhos, por morte violenta. Carminha já teve duas sérias crises cardíacas. Na última, demorou várias horas para pedir socorro. Sabia o que estava lhe acontecendo, mas preferia morrer. Sua terapia em grande parte foi um grande e repetido velório e enterro de seus mortos.

Ivone confronta-se com o irmão morto numa sessão. Chora sua dor. Pede-lhe que a deixe viver e não depender dele. Não quer carregá-lo mais: ter de substituí-lo para os pais, logo ele, o insubstituível. Tudo fazer para ser igual a ele e nem assim ter o afeto que sempre desejou dos pais. Na semana seguinte Ivone está radiante. Foi procurar emprego depois de vários anos de casada, queixando-se sempre do papel de dona de casa. Disse ao marido com clareza: "Eu sou mais para Humanas e você, para Exatas". Questiona abertamente pela primeira vez o casamento de que sempre se queixa.

Cláudio tem pai idoso e cardíaco. Gosta muito dele e teme sua morte. Dramatiza um sonho em que vive o papel de vários heróis: aviador, galã de cinema e piloto de um carro esporte vermelho que derrapa e capota. Seu pai surge tirando-o das ferragens. Saem os dois caminhando pela estrada, conversando afetuosamente. Termina a sessão sentindo-se preenchido de afeto e muito leve. Cláudio sempre teve um grande medo da morte. O pai de Cláudio tem um enfarte um mês depois e morre. Cláudio vem ao grupo triste, mas com a sensação boa de nada ter deixado para trás em relação ao pai. Sua lembrança é muito boa e fala dele com saudade e carinho. O grupo partilha com ele lágrimas suaves e silêncio. Cláudio trabalhara também, há alguns meses, no mesmo dia do enterro, a morte de uma amiga sua, o que facilitou a elaboração da morte de seu pai, como ele próprio admitiu. Por coincidência, essa amiga de Cláudio era minha conhecida. Enterrando-a, na sessão, enterrou-a também por mim.

"Ontem foi a exumação da vovó", diz Roberto ao iniciar-se a sessão de grupo. Nela, junto com a avó, ele faz a exumação de seus sentimentos de infância: sua irmã muito doente, cuidada pelos pais, cria as circunstâncias que o levam a morar na casa triste de seus avós e tias. Triste e sem crianças para brincar, sente-se abandonado e só.

Miguel, que perdeu um filho pequeno, conta que fala muito da morte dele para outras pessoas, e que só depois de tê-la trabalhado em terapia é que percebeu que falar da morte desse filho para os outros era uma forma que utilizava para evitar qualquer contato mais profundo. Acabava desempenhando socialmente um único papel — o do pai enlutado.

Beto dramatiza um sonho. Ele e o irmão são gêmeos siameses. Ele, vivo e ativo; o irmão, arrastado por ele, sem vida própria, um morto-vivo (o irmão na vida real é tido como esquizofrênico). Ele quer se libertar e um médico propõe a cirurgia. No entanto o irmão morrerá. O irmão, ao ouvir isso, se enche de vida e tenta arrastá-lo para o mato, onde quer viver como um animal — só instintos. Há uma forte luta. Invertendo papel com ele e continuando o sonho livremente, diz, no papel do irmão, que não morrerá, que cada um poderá "ficar na sua" e que ele não será nunca como Beto quer — que é melhor viverem em lugares diferentes e por caminhos diversos do que Beto carregá-lo doente ou morto pela vida. Beto, de novo como Beto, consegue separar-se dele suavemente e experimenta uma sensação corporal estranha em seu lado direito, como se este nunca estivesse estado livre. Conta então que no fim de semana anterior levou seu irmão ao cinema e que se envergonhava dele na rua em razão de suas roupas extravagantes.

Vanessa não se sente bem na própria casa. Montando seu apartamento no aquecimento para a dramatização, para na porta da cozinha: "Não gosto desta cozinha". Vê-se então na cozinha da casa de sua mãe, que está muito doente, alguns anos atrás. Tem pela primeira vez a certeza de que está próxima a morte dela, sentindo-se muito culpada por ter se casado, deixando de lhe fazer companhia até a morte. Como castigo, não poderá ter sua casa. A mãe moribunda puxa sua mão para o túmulo. Terá de morrer junto. Desvencilha-se dela, cuida da doente na hora da morte, despede-se dela e entra enfim na própria casa, que mal reconhece.

Mônica transfere-se periodicamente de cidade, em razão da profissão do marido. Deixa tudo para trás sem muitas reflexões No próprio dia da dramatização em grupo aqui descrita, não saberá como se aproximar de um casal de amigos que voltava para a cidade de origem. Montando a cena, acaba por se remontar à época da morte de seu pai. Quer despedir-se dele e não consegue. Fica entre duas forças: o pai a poupá-la toda a vida de qualquer sofrimento e a mãe sempre se queixando excessivamente dos sofrimentos do mundo. Afasta-se dos dois tapando os ouvidos. Dirige-se depois ao pai, permitindo-se sofrer e chorar sua morte, despedindo-se dele e enterrando-o no alto de uma colina. Volta-se então para a mãe, deixando claro que sua disposição de proximidade está condicionada à atitude dela de usar o sofrimento exagerado como chamariz. Retorna à primeira cena e abraça afetuosamente e com saudade o casal de amigos de forma natural e sem exageros.

Dagmar estranha não ter nenhum sentimento em face da separação e da morte. Foi assim até na separação de seus pais e na morte da avó, a pessoa de quem mais gostou. Quer rever a ocasião da morte dela. Na cena, interpõe a morte entre a avó e ela própria num quarto de hospital. Essa morte interposta entre as duas confunde-se com a figura de seu pai, que para não sofrer com a morte da mãe afasta Dagmar da avó, querendo afastar-se ele próprio. Dagmar, ainda nessa cena, enfrenta o pai, tira a avó do hospital e leva-a para morrer em casa, no quarto mais confortável, e lá se despede dela chorando, mas em paz. De lá transporta-a para um sítio, seu lugar preferido, deixando-a num vasto gramado ao pôr do sol e diante de um rio. É onde se juntam terra, água e céu. Sobe então num balanço feito dos braços do grupo, que a impulsionam e de onde salta para a vida.

Camões imortalizou em versos o episódio Inês de Castro, amante do príncipe Pedro, filho de Afonso IV, que cedendo a pressões acaba por mandar matá-la. Com a morte do rei, subindo ao trono, Pedro manda desenterrar Inês e, em macabra cerimônia, a coroa rainha e obriga cada membro da corte a beijar a mão da morta:

> [...] *O caso triste e dino da memória,*
> *Que do sepulcro os homens desenterra,*
> *Aconteceu da mísera e mesquinha*
> *Que despois de ser morta foi rainha.*

> *Tu, só tu, poro amor, com força crua,*
> *Que os corações humanos tanto obriga,*
> *Deste causa à molesta morte sua,*
> *Como se fora pérfida inimiga.*
> *Se dizem, fero Amor, que a sede tua*
> *Nem com lágrimas tristes se mitiga,*
> *É porque queres, áspero e tirano*
> *Tuas aras banhar em sangue humano.*
>
> *Não correu muito tempo que a vingança,*
> *Não visse Pedro das mortais feridas,*
> *Que, em tomando do Reino a governança,*
> *A tomou dos fugidos homicidas.* [...][108]

Como a amada de Pedro, a morte o psicodramatista desenterra; que se tenha lugar próprio para onde destiná-la sem que se a negue, mas também sem que ocupe o trono obscuro da transferência ou do luto permanente.

Que a morte possa estar na vida como um destino futuro que nos faça viver o presente, o momento. E, com tal compromisso, que nos impeça de cumprir os desígnios de um rei vingativo e de beijar, prostrados, a mão descarnada de Inês.

# Apêndice 1 — A morte e os mortos dentro de mim[109]

Era interminável a lenta caminhada pela passadeira vermelha. Sentia em mim o olhar vazio dos santos de gesso através dos panos roxos que lhes ocultavam os corações sangrantes, as cruzes, as espadas, os espinhos, os martírios. Era, em cada passo, apenas o que me vinha à memória. Nunca as auréolas ou os anjos. E, de repente, ele estava lá, bem à minha vista, o Cristo morto na sexta-feira! Todos esperavam e eu não tinha como fugir de beijar-lhe os pés — a sensação fria de um encontro com a morte. Eu era muito pequeno e não entendia bem por que aquele morto todo ano era desenterrado. Mal sabia eu que toparia depois com tantos outros desenterros.

Penso que foi ali talvez que se criou em mim a necessidade de distinguir a morte do morto. A morte como fato natural e distante que se aproxima e se concretiza através do outro, cuja sombra permanece pela ausência e pelo afeto que me liga a esse outro morto, como que me apontando minha própria morte:

[...] *Pois de tudo fica um pouco.*
*Fica um pouco de teu queixo*
*no queixo de tua filha.*

[...] *E de tudo fica um pouco.*
*Oh, abre os vidros de loção*
*e abafa*
*o insuportável mau cheiro da memória.*

[...] *e sob tu mesmo e sob teus pés já duros*

*e sob os gonzos da família e da classe,*
*fica sempre um pouco de tudo.*[110]

Pois é esse resíduo, cujo efeito o poeta tanto sentiu, que ocasionalmente chamamos de lembrança, como a que está no "queixo de tua filha". E assim poderá continuar a ser somente uma lembrança. Contudo, se é insuportável o mau cheiro da memória, ela será muitas vezes antes um cheiro e só depois memória. E é por isso que, refletindo sobre o meu papel de psicoterapeuta psicodramatista, não posso deixar de me sentir muitas vezes como um farejador de assombrações, cujo rastro aparece nos mais inesperados esconderijos e percursos do ser humano. Não só nos desencontros, nas viagens e nas separações como até nas paixões e nos entraves da sexualidade. O processo de psicoterapia materializa os mortos e a morte, tornando evidentes o que chamei de desenterros. Só mesmo a elaboração do luto, o enterro interior desses mortos, torna possível sua transformação em apenas memória, de modo que o afeto dela decorrente não se torne um impedimento para o desempenho dos diversos papéis que a vida a todo instante nos oferece.

Assim, estamos sempre nos defrontando com questões tão importantes e complexas quanto o próprio mistério e misticismo que cerca a morte:

- a morte como acontecimento natural na história do homem;
- a relação morte-morto;
- a morte como elo frequente da transferência na inter-relação;
- o processo de elaboração da morte;
- o papel do psicoterapeuta hoje diante da morte escondida.

Diante da primeira questão, transporto-me a Uchuraccay, nos Andes, onde seus camponeses mataram oito jornalistas confundindo-os com integrantes do grupo clandestino Sendero Luminoso.

> Eles nos falaram naturalmente, sem manifestar sentimentos de culpa, intrigados e surpreendidos pelo fato de termos vindo de tão longe — e

pela própria importância atribuída ao incidente — por algo corriqueiro como o que tinha acontecido.

Sim, tinham matado os oito. Por quê? Em consequência de um equívoco. Afinal, a vida não é entremeada de erros e mortes? Eles eram "ignorantes". O que preocupava os habitantes de Uchuraccay no dia 14 de março não era o passado, mas o futuro — isto é, os senderistas. Poderiam pedir a presença de *sinchis* [grupos paramilitares], para protegê-los? Poderiam pedir ao "Honrado Sr. Governo" que lhes enviasse pelo menos três fuzis?[111]

A História das Mentalidades demonstra como tem sido lenta a mudança das atitudes do homem e dos povos diante da morte, com exceção do século XX, em que a rapidez das transformações constantemente lhe rouba o tempo necessário para as assimilações bem sedimentadas. As ideias novas e renovadas e a velocidade de sua divulgação estão muito adiante das possibilidades humanas de emoção e de afeto de integrá-las num todo vivencial coerente com o ritmo existencial e próprio de cada um. As posições liberais que defendemos nos bares e nos seminários naufragam no dia a dia de nossa relação mais íntima, no cair das máscaras sociais, face a face, pessoa a pessoa. O nosso racionalismo nos dá a falsa ilusão de poder. Precisamos dele como refúgio para não nos confrontarmos com nossos tropeços e nossas inibições reais. É assim no que diz respeito à nossa sexualidade. Somos muito mais abertos e liberados do que realmente somos. Estamos sempre querendo pertencer à geração a que não pertencemos. E é assim com a morte.

Nos grandes centros urbanos, o homem atual contempla estarrecido pela tevê a naturalidade com que os peruanos de Uchuraccay, homens ao mesmo tempo de hoje e de ontem, encaram o erro e a morte.

O homem ocidental, como tão bem demonstrou Philippe Ariès, atravessou os séculos exteriorizando sua dor sem constrangimento e convivendo com os mortos com tal naturalidade que lhe foi possível suportar o aviso de sua própria morte e esperar pacientemente por ela rodeado por aqueles que amava. É claro que são muitos os matizes que coloriram tais costumes e que suas gradações foram se alterando com o passar do tempo, embora de forma sempre lenta.

Em nossos dias, o habitual da morte hospitalar e a pressa de se desembaraçar rapidamente não só do morto como também de nossos sentimentos em relação a ele vão desvestindo de espontaneidade o nosso comportamento, a ponto de quase nos fazer acreditar ser a morte antinatural. Em consequência, a morte acaba por imiscuir-se sorrateiramente na menor deixa de cada cena, de cada ato do teatro da existência, já que não pode aparecer na vida das pessoas como o fim do grande passeio da velha de um conto que, "[...] como estava cansada, [...] encostou a cabeça no tronco da árvore e morreu"[112]. Simplesmente.

Marcelo Rubens Paiva, em seu livro *Feliz ano velho*[113], dá o seguinte depoimento, refletindo bem o estado de espírito que decorre do isolamento de mundo das unidades de terapia intensiva nos hospitais, em que se morre impessoal e solitariamente:

> Sabia que era de noite, pois já havia mudado o plantão [...]. Numa UTI não existe noite e dia. A luz de mercúrio fica sempre acesa, não tem janelas, e a movimentação dos enfermeiros é de três em três horas [...]. Eles tiraram o biombo e pude ver a velha quieta. Saíram todos e lá estava eu, deitado naquela cama sem mexer nada além do pescoço, ao lado de uma velha gorda morta. Foi aí que eu descobri o que é uma UTI. É uma espécie de antessala do céu ou do inferno. Se você entrou nela, ou morre, ou sai com profundas lesões. Eu não tinha tanta certeza se eu preferia sair ou passar pro outro lado.

A sensação de quem está do lado de fora da UTI e uma visão aproximada do resíduo de experiência tão desagradável é bem exemplificada por uma pessoa que, numa sessão de psicodrama por mim dirigida, se mostrava angustiada por sua dificuldade de exteriorizar seus sentimentos por uma outra. Montada a cena inicial, o bloqueio do presente se conectava com uma cena anterior de sua vida: em pé, diante da porta entreaberta de uma UTI, entrevia a mãe moribunda, toda ligada a tubos e aparelhos, embora lúcida, acenando para ela em despedida. Os regulamentos hospitalares impediam que ultrapassasse aquela porta, arrancasse as sondas e o respirador artificial e expressasse com um abraço e com palavras o amor detido por tantos anos na garganta.

É como se, nos roubando a morte como parte da vida, nos estivessem roubando o que se cria em nós de vida e para a vida do confronto entre as duas. E mais uma vez peço verso emprestado, de "A morte do leiteiro", a Drummond[111]:

> [...] *Da garrafa estilhaçada,*
> *no ladrilho já sereno*
> *escorre uma coisa espessa*
> *que é leite, sangue... não sei.*
> *Por entre objetos confusos,*
> *mal redimidos da noite,*
> *duas cores se procuram,*
> *suavemente se tocam,*
> *amorosamente se enlaçam,*
> *formando um terceiro tom*
> *a que chamamos aurora.*

A segunda questão, a da relação morte-morto, nos obriga a um caminhar até a criança e ao símbolo.

O conceito de morte implica, primeiro, a possibilidade do reconhecimento do eu e do outro e, segundo, a sensação particular que desperta o desaparecimento desse outro do campo visual. A criança, quando passa a reconhecer a mãe, experimentará angústia quando ela se afasta. É a primeira manifestação da solidão. Até que ela possa estabelecer relações de causa e efeito, dominar a temporalidade e distinguir o animado do inanimado com a aquisição da linguagem e, portanto, com a capacidade de simbolizar, a morte não poderá ser conceituada ou compreendida. A criança apenas será capaz de experimentar o que é ausência, seja breve ou definitiva.

O contato com crianças de várias idades que sofreram perdas de parentes próximos ou que estão desenganadas por doença grave demonstra que a noção de morte vai sendo construída sempre a partir do desaparecimento de uma pessoa do campo visual, consequentemente da ausência, relacionada a afetos, lugares ou objetos que a lógica infantil pode correlacionar. Por exemplo, a morte poderá ser o ir embora e não voltar mais, associado ou não a um lugar com uma cruz, a um sono do qual não se desperta, a choro, a carro com flores, e assim por diante, dependendo do registro particular de impressões de cada criança em cadeias cada vez mais complexas. Dessa maneira, no labirinto da construção do símbolo há todo um caminho a percorrer entre sensação e memória, que permita inferir que aquilo que transforma o outro em alguma coisa inanimada, diferente de como habitualmente o vejo, um morto, ou simplesmente num ausente perene, possa também me afetar de igual modo. Se não posso contemplar meu rosto dormindo no momento em que ele dorme, não poderei surpreender nele, se em sono profundo, a expressão dos meus sonhos que o diferencie do sono inanimado da morte. Talvez por esse motivo, o sono e o desaparecimento se constituam no primeiro elo que permita compreender o que é morte — e mais especificamente minha morte. Não só eu me reconheço e reconheço o outro, me reconhecendo nele nas semelhanças humanas, como até passo a me reconhecer nele quando morto, na possibilidade de um mesmo sono inanimado, que passo a temer e imaginar. É como se nesse instante eu pudesse compartilhar com os demais minha própria mortalidade.

O passo seguinte é o de construir dentro de mim, por meio da fantasia, um destino que dê guarida ao desaparecido e que imagino igualmente para mim, caso eu também um dia desapareça.

Não é, portanto, difícil de concluir que, por intermédio de um processo de psicoterapia, se surpreendam, em trajetória de direção inversa, frequentes esbarrões nas etapas de elaboração do conceito morte-morto, cujas vicissitudes vazam da história pessoal para as relações presentes. A morte como elo transferencial e o processo de elaboração do luto estão intimamente ligados em psicoterapia. Recorro ainda ao poeta Carlos, que não se chama Raimundo. Rima, não solução:

*Nossa Mãe, o que é aquele*
*vestido, naquele prego?*

[...] *Nossa Mãe, dizei depressa*
*que vestido é esse vestido.*

[...] *O vestido, nesse prego,*
*está morto, sossegado.*[115]

Também conheço um caso de vestido. Aconteceu numa sessão de psicodrama. Tratava-se nela de uma dificuldade amorosa atual, que foi montada numa cena, da qual filtrou-se outra — a cena da descoberta do corpo de um pai suicida. Abrira o gás. Diz a filha: "Como você ainda teve a coragem de vedar a janela com o meu vestido? Não pensou em mim?"

Redescobrir por meio do vestido a sensação de abandono, o amor e o ódio, destilados todos em ambiguidade nas suas relações com outros homens. A presença da morte rondando as paixões até que o pai e o vestido pudessem estar à vista como que pendurados num prego qualquer, mas enfim mortos, sossegados, uma nova presença.

São tantos os exemplos! Poderia dizer que diários. São tantos os papéis envolvidos! Poderia dizer que todos: dificuldade de conquista de espaço amoroso e profissional e ter convivido no mesmo útero com irmão gêmeo que nasce morto; necessitar de um protetor e ter vivido bem pequeno a morte acidental de um irmão menor a uma distração dos pais; deixar de ter orgasmo após abortamentos provocados ou após a morte de filhos; correlacionar a respiração acelerada do orgasmo com a respiração estertorosa da mãe moribunda como parte do significado de uma frigidez; e assim incontavelmente.

As paixões carregam em si a letra do bolero: "Espérame en cielo corazón, si es que te vas primero". E quem mais pálido e triste que Pierrô em plena terça-feira gorda? Desejo e agonia.

Georges Simenon escreve, em *Carta a meu juiz*[116], uma história de paixão desenfreada que leva ao extremo do assassinato. Colho dela alguns fragmentos:

> E aquela agonia que crescia nela [...] Aquela agonia que [...] eu não podia explicar a contento senão como um desejo semelhante ao meu [...]

uma vontade não menos desesperada de escapar daquilo, de furar a bolha, de romper o teto por sua vez, de, numa palavra, se libertar. [...]
Não compreendem que eu a libertei [...]. Não foi ela que matei, foi a outra [...].
Eu não sabia sequer que se tratava de amor. [...]
Não tínhamos projetos para o futuro. Isso não prova que éramos felizes? [...]
— Você verá, Martine, que um dia já não haverá nenhum fantasma [...]
E, no entanto, eu estava feliz, jamais fora tão feliz em toda a minha vida, Martine e eu estávamos tão felizes que tínhamos vontade de morrer. [...]
E sentia que ela me encorajava, que ela o desejava, que ela sempre antevira aquele momento, que era a única solução possível [...]. Havia que matar a outra de uma vez por todas, a fim de que minha Martine pudesse enfim viver [...]. Matei a outra. Com pleno conhecimento de causa. [...]
Fomos tão longe quanto possível. Fizemos todo nosso possível [...] Quisemos o absoluto do amor. [...]

É como se cada um de nós levasse dentro de si o pierrô e o assassino na esteira da paixão — a encarnação da própria morte e a rebelião contra os fantasmas que me aproximam dela. O futuro não pode ser visto na paixão senão como o impedimento da felicidade, a perda, a separação. E porque se reveste desse caráter irreal, dessa ligação de cada um com sua sombra particular é que a paixão também está condenada a morrer desde o princípio. Repete o drama humano e na separação concretiza o temor da morte definitiva — a morte dentro do outro pelo esquecimento e a do outro em mim confirmando a primeira. Se eu esqueço o outro, este outro também se esquecerá de mim.

Ora, as ligações que o ser humano estabelece ao nascer constituem a matriz de sua identidade, a consciência do eu só podendo se fazer à custa da relação com um outro. A partir do momento em que é possível desempenhar papéis sociais, se dá a ampliação das relações com os demais, que por sua vez estabelecem entre si outras relações, tecendo uma rede, rede sociométrica, na qual cada indivíduo está inserido e que sofre transformações constantes. A par da introdução de novos elementos ou da saída de outros dessa rede, também vai se modificando a cada momento a posição de cada um em relação ao outro, dependendo das escolhas positivas ou negativas, da hierarquia e dos critérios dessas eleições. Dessa forma, estou sempre mudando de posição na rede sociométrica a que pertenço, o que depende de como escolho e sou escolhido, o que acaba determinando o caráter de minha segurança como indivíduo socializado que sou. Nesse conjunto ainda entra em jogo a percepção que cada um tem da escolha do outro em relação a si próprio, que permeia os laços que se constroem, quer mútuos quer incongruentes, se coincidentes ou não os sinais de escolha (ambos positivos — ambos se escolhem; ambos negativos — ambos não se escolhem; um positivo e outro negativo — um escolhe e outro não), naquele momento (pode ser outra a escolha em outro momento), para aquele determinado critério (para namorar, para estudar junto, para casar, para conversar etc.).

Podemos então facilmente constatar que qualquer morte é capaz de modificar a rede sociométrica de várias pessoas, de todos com quem o morto se relacionava. A qualidade dessa modificação dependerá da importância daquele que morreu como ponto de amarração das relações de tal rede. Sendo sua posição mais periférica, se exigirá menos esforço em sua restruturação, o que não acontecerá quanto mais central ela se situava. Não tem o mesmo peso a morte de um simples conhecido, mais facilmente absorvível, e a morte de um pai ou de um filho, por exemplo. A ausência definitiva obriga uma acomodação da rede daquele indivíduo e da rede particular de cada um que pertencesse à primeira, assim como a um tremor de terra localizado se seguem movimentos geológicos circundantes de intensidade cada vez mais decrescente.

A permanência na memória do outro depende também da transmissão de lembranças e de sentimentos entre os integrantes da rede do ausente, o que pode transpor umas poucas gerações, a não ser que sua dimensão humana, ou então o mero capricho das circunstâncias, o sedimente como um capítulo da História. É a segunda morte, a extinção dos vestígios sociométricos.

Essa é uma das razões pelas quais nas relações amorosas e, mais particularmente, nas separações e nas paixões eu luto contra o esquecimento do outro, não só contra a primeira, mas também contra a minha segunda morte. A reedição nesses momentos de sensações como ausência, solidão, isolamento e abandono direcionam meu afeto não para aquele que está ou esteve ali, mas para minhas assombrações mais íntimas e ocultas — minhas transferências.

A trilha que uma pessoa percorre em companhia de seu psicoterapeuta leva muitas vezes ao ato de dar fisionomia aos próprios fantasmas, até deixando-se assombrar por eles, para em outro momento exorcizá-los, senão definitiva, ao menos homeopaticamente. Nessa caminhada, é muito mais comum do que se imagina topar com uma morte mal digerida. Compreensivelmente, quando isso acontece na ação dramática de uma sessão de psicodrama, o protagonista diante daquele que representa o seu morto quase sempre se despede dele, expressando os sentimentos deixados para trás e que não puderam ser transmitidos antes da morte, e concretamente, na cena, o enterra. Alguns colocam o "morto" num canto da sala e o cobrem com almofadas. Outros levam-no para junto de uma planta que tenho no consultório, querendo representar o sepultamento ao ar livre, num campo ou sob uma árvore. Ou diante da janela, significando diante do céu ou do mar. Outros ainda o empurram para fora da sala, simbolizando o nada ou então o fora da vida. É um processo na ação que significa muitas vezes o início da elaboração de um luto que se tornou um obstáculo transferencial no plano de relações presentes e, é claro, em nível inconsciente. É preciso que se diga, para maior compreensão, pois não se trata aqui de discutir especificamente a psicoterapia psicodramática, que essas cenas são montadas pelo próprio protagonista sem indução do terapeuta, e que tais desenlaces são e só podem ser espontâneos, já que a teoria da espontaneidade é um dos alicerces sobre os quais Moreno erigiu o psicodrama, sua teoria e prática.

O resultado que se segue a tais sessões naturalmente depende do papel que aquela morte não elaborada representa para o indivíduo como nó transferencial. Muitas vezes, a repercussão nos diversos planos de vida da pessoa é espantosa, sucedendo-se uma série de movimentos existenciais, antes insuspeitados pelo próprio sujeito. Até mesmo nas relações amorosas e na esfera da sexualidade isso acontece, mais uma vez corroborando quanto é pesado um morto que se carrega nos ombros vida afora e quanto é difícil se desfazer dele para recuperar a agilidade vital.

Quantas vezes ouvi críticas, entre horrorizadas e indignadas, ao costume dos velórios e das missas de sétimo dia, com o argumento de que acarretavam aos vivos um sofrimento desnecessário.

Lembro que, certa feita, recebi num mesmo dia três notícias sobre uma conhecida: pela manhã, que sofrera um derrame; à tarde, que morrera; à noite, que seria cremada apenas com a presença da família, e que o corpo não estaria exposto à visitação. Ora, eu deixara para ir ao velório após meu horário de trabalho e de repente me encontrava impedido de entrar em contato com a parte concreta da morte dela — o corpo morto diante de mim me dando tempo para me acostumar com a ideia da ausência daquela pessoa.

Bem ou mal, os ritos sociais que cercam a morte e o morto têm a função de nos dar esse tempo de elaboração. Imersos que estamos numa realidade urbana em que mal sabemos o nome do vizinho, os pequenos desastres pessoais ficam sem continente na comunidade que nos é próxima, dificultando sua absorção. Ainda hoje me impressiono, apesar de ter nascido numa cidade grande, quando ando pelas ruas do centro de São Paulo, notando que vejo pessoas em número incontável e nenhum rosto conhecido. Infelizmente escuto tanta gente me dizer que não tem um amigo íntimo, que sou a primeira pessoa a quem conta suas aflições ou que nunca recebeu ou pôde dar carinho! Uma das primeiras coisas de que tenho de me desfazer na relação psicoterapeuta-cliente é do papel, que se tenta me atribuir, de um amigo comprado a preço de hora de sessão, sem deixar de ajudar, sem deixar de fazer companhia, para que o vínculo se transforme positivamente. Se assim não fosse, eu não poderia contribuir com que aquela pessoa em todas as outras horas que não passa comigo, a maioria das de sua vida, procure e ache o seu amigo, descubra o carinho, o amor, o encontro.

Assim como luto para não complementar os papéis que a sociedade vai deixando no vazio e as pessoas deixando de buscar, recuso o papel de *doctor of grief*, um substituto da expressão natural da dor, um terapeuta do luto. Hoje contemplamos espantados que pode ficar mais fácil mandar o filho para a ludoterapia do que brincar com ele no chão. Ou ir chorar seus mortos no consultório do psicoterapeuta do que compartilhar a perda com aqueles que nos cercam. A função da psicoterapia é, a meu ver, devolver o homem ao seu mundo, por ele próprio ampliado. É verdade que ajudo a enterrar os mortos insepultos e sei que estou também enterrando meus mortos junto e chorando por eles, senão eu me colocaria a uma distância confortável. E é porque posso e até porque não posso ser o menino aterrorizado na sexta-feira santa, ser o pálido pierrô, ser tentado a abrir o frasco de loção para espantar o mau cheiro da memória, ou mesmo ser o assassino, que eu possa talvez estar nos Andes como os índios peruanos e das geleiras contemplar a vida como uma sucessão natural de acontecimentos, em que se incluem erros, mortes e encontros.

Das geleiras também se formam lagos capazes de refletir o sol.

São Paulo, 25 de setembro de 1983

# Apêndice 2 —
# O médico e a morte[117]

Ouvi, quando estudante, de um professor, a seguinte frase: "O curso médico deveria começar na sala de parto e não no anfiteatro de Anatomia".

A primeira imagem que guardo da faculdade é a de um esôfago na mesa fria no primeiro plano e de figuras cinzentas descarnadas com seu forte hálito de formol como pano de fundo. Lembro muito bem que naquele momento eu, que me propunha, por força da profissão, a conviver com o sofrimento, senti um grande alívio por não reconhecer ali como pessoas aquele amontoado de pedaços descaracterizados de qualquer traço humano. Eu não podia ver como semelhantes os restos de cadáveres dissecados, sem pele, sem cor, sem unidade, sem história, sem movimento.

Muito mais tarde, após ter deixado a Gastrenterologia pela Psiquiatria, tornando-me um psicoterapeuta cuja linha de trabalho é o psicodrama, aprendi a duras penas no novo papel que, entre muitas outras coisas, o próprio psicoterapeuta faz sua psicoterapia para poder chorar sem constrangimento, inclusive diante de e com seu paciente, e não o contrário.

A questão que se coloca, portanto, quanto à relação médico-paciente não é a de se envolver ou não, mas sim a de como se envolver mantendo o papel profissional sem deixar de ser pessoa. O mesmo podemos dizer de qualquer indivíduo que trabalhe na área de saúde, desde o mais humilde servente ao diretor do hospital, e mais especificamente do envolvimento que cerca a presença da morte prevista ou acontecida.

O médico se acostuma a desempenhar seu papel profissional por meio do modelo socialmente sancionado da eficiência que lhe é exigida, muito próximo da caricatura fria e distante desenhada por essa mesma sociedade exigente, o que acaba por roubar-lhe a melhor parte — a da sua participação nas emoções e nos sentimentos. Essa atuação antinatural age como que o exilando da própria condição humana para o sótão de uma solidão muitas vezes compartilhável, que acaba por lhe oferecer como alternativa o papel de semideus, encobrindo sua fragilidade. Se ele pudesse expressar este conflito, talvez o fizesse com um fragmento da poesia de Fernando Pessoa[118]:

> [...] Fiz de mim o que não soube,
> E o que podia fazer de mim não o fiz.
> O dominó que vesti era errado.
> Conheceram-me logo por quem não era e não desmenti, e perdi-me.
> Quando quis tirar a máscara,
> Estava pegada à cara.
> Quando a tirei e me vi no espelho,
> Já tinha envelhecido. [...]

Ao estudante de medicina, desde o início, é oferecida uma relação sem resposta humana. Até o terceiro ano, ele está só diante da peça de anatomia, da lâmina ao microscópio, do tubo de ensaio, do inseto, do rato, da rã e da cobaia. Quando se vê com o doente, já transcorrido um terço do curso, tende a estabelecer e introjetar o mesmo modelo relacional que manteve com o objeto de observação ou de experiência.

Tenho gravada na memória uma cena de aula prática de semiologia: meu instrutor chamando o grupo de alunos a que eu pertencia, com a excitação do "achado" estampada em sua face de cientista, para ouvir um raro ruído cardíaco. Chegando ao leito, assistimos constrangidos à agonia de um homem que morria. O professor, que em muitas ocasiões demonstrara, mesmo inadvertidamente, ser um homem bondoso e preocupado com as pessoas, não hesitou em colocar aquele paciente de quatro no leito de moribundo para que assim melhor ouvíssemos o ruído cardíaco tão peculiar — o recurso mais adequado para o exame. Nós nos entreolhamos em silêncio e, num pacto mudo, usamos rapidamente o estetoscópio, até fingindo que ouvíamos alguma coisa e nos afastamos o suficiente para assistir à sua morte poucos minutos depois. O instrutor ainda discorria sobre semiologia cardíaca e nós não mais o escutávamos. No ar até havia alguns risos abafados da mais pura ansiedade.

Célia Almeida Ferreira Santos, estudando o comportamento de profissionais de saúde diante da morte, em pesquisa realizada com 42 enfermeiras, demonstra que os sentimentos mais presentes são a impotência, a culpa e a raiva, "vivenciados com muita dor"[119], sendo os mecanismos de defesa mais comumente utilizados por eles nessas situações o da negação e o da evasão.

O episódio da aula de semiologia aqui relatado ilustra precisamente a negação da morte na figura do instrutor.

A evasão é bem caracterizada pelo procedimento tão comum de nos desembaraçarmos do contato com a morte em nome das tantas mil outras tarefas que ainda estão nos esperando no resto do dia e que nos permitimos avocar com a função específica de evitar que nos detenhamos perante a morte.

O médico se desobriga com a notícia que leva aos familiares e com a assinatura do atestado de óbito, enquanto a enfermagem e os serventes permanecem no cenário ainda cuidando do morto.

Ora, estudos desenvolvidos em hospitais psiquiátricos por Majastre[120] evidenciam a defasagem existente entre a posição hierárquica do profissional de saúde e o tempo por ele dispendido ao paciente. Quanto mais especializado é o profissional, menos tempo ele gasta com o doente no ambiente hospitalar. Assim, são o servente e o auxiliar de enfermagem que mais dados têm das ocorrências do dia a dia dos pacientes. Como a ascendência na escala hierárquica traz a reboque a maior preciosidade do tempo, o médico-chefe coordena visitas gerais, o médico assistente muitas vezes apenas supervisiona o trabalho dos residentes e estes o dos internos, em escala decrescente de tempo gasto com o paciente. Desse modo, é o pessoal da enfermagem e da limpeza que acaba sabendo das particularidades do mundo do doente — os filhos, as preocupações etc. Em resumo, o médico não tem tempo a perder e o paciente não tem tempo a ganhar com a ausência constante dele.

Podemos inferir, portanto, que nas situações de morte de paciente a mesma situação que costuma envolver a equipe hospitalar provavelmente também aqui estará presente. Quem sabe o maior conforto do paciente moribundo venha da mulher da limpeza?

O depoimento de Marcelo Rubens Paiva em *Feliz Ano Velho* corrobora essa opinião quando descreve a sensação de prazer que experimentava numa Unidade de Terapia Intensiva toda vez que o auxiliar de enfermagem vinha lavá-lo. À medida que mantinha com ele um contato corporal, fundamental para que não se sentisse parte da impessoalidade quase asséptica da sala, conversava despretensiosamente sobre qualquer assunto que lhe viesse à cabeça.

A evasão, pois, além de ser um mecanismo pessoal que depende da disponibilidade interna de cada um, é também uma forma de atuação mais ou menos facilitada pela posição ocupada pelo membro da equipe na hierarquia hospitalar. A instituição oferece maior oportunidade de evasão ao mais graduado.

Histórica e socialmente, a atitude do homem contemporâneo perante a morte facilita ainda mais essa evasão e essa negação. A característica mais marcante do comportamento humano diante da morte, da Antiguidade até fins do século XIX, é a lentidão com que se processaram as várias transformações de sua postura e ritos ao longo da História das Mentalidades. Em todo esse tempo o homem que morria tinha consciência da morte próxima e partilhava seus sentimentos com sua família e com seus amigos até o fim. Morria em casa. Escolhia, salvo morte súbita, a forma e o lugar de morrer. As manifestações de dor e de pesar não eram represadas, nem mesmo em sua presença, o que permitia uma melhor absorção do luto, da ausência, da morte. As pessoas conviviam com a morte no dia a dia, como parte da existência. Até mesmo as crianças.

Em alguns momentos da História, momentos entendidos como séculos, os próprios cemitérios se constituíram em locais de reuniões e de festas. Era comum procissões de crianças carregarem cadáveres de mártires cristãos. Foi somente no século XX que esses costumes, que permaneceram por séculos e séculos, se modificaram, e com grande rapidez. A morte foi banida da convivência com o humano. O luto, reprimido. A aversão aos ritos mortuários, cuja função, bem ou mal, é a de permitir o contato de cada um com a morte de alguém e de dar tempo para sua elaboração, cada vez mais se acentua como algo incômodo e macabro a ser evitado. O progresso médico do pós-guerra intensificou sobremaneira a necessidade de internação hospitalar, de modo que a morte foi roubada do convívio familiar. Em Nova York, por exemplo, no ano de 1955, 69% das mortes ocorreram em hospitais – número que em 1967 subiu para 75%, como nos relata o historiador Philippe Ariès[121]. As unidades de terapia intensiva hoje em dia se transformaram no símbolo moderno da morte isolada e solitária. Numa época em que vivemos uma liberação sexual cada vez maior, tornou-se pornográfico falar em morte. Trata-se a morte, hoje, com censura equivalente à que foi e tem sido dirigida ao outro grande tabu humano, o sexo.

Uma das repercussões desse modo de tratar a morte se reflete no panorama divisado nas salas de psicoterapia. É cada vez mais frequente a necessidade que as pessoas têm de enterrar seus mortos com o auxílio do psicoterapeuta. A esse caminho muitas e muitas vezes se chega através das mais diversas dificuldades, que à primeira vista não parecem se correlacionar com a morte ou com alguma morte. Um bloqueio da expressão de afeto no presente, por exemplo, pode surgir relacionado com um impedimento passado de despedir-se de um ente querido que morreu. Ou uma frigidez conectar-se com um abortamento provocado ou com a morte de um filho. São incontáveis os nexos possíveis que acabam por pontilhar, por meio de diversos papéis, inúmeras dificuldades que intercruzam sexualidade, separações e paixões com morte.

É fácil deduzir, portanto, que a maneira de tratar a morte hoje não só acarreta um maior isolamento da pessoa que morre como também traz aos que ficam marcas tão profundas quanto difíceis de resolver. Em outras palavras, se o meio em que vivemos facilita o contato com a morte e contribui para a elaboração do luto, as marcas, que sempre existirão, é claro, terão o curso natural de uma cicatriz que se adelgaça e esmaece. Caso contrário, sem essa facilitação e absorção social, tais acidentes permanecerão transferencialmente aprofundados em nossa inter-relação com o outro no mundo dos vivos.

Outra consequência lógica dessas reflexões, no que diz respeito ao papel do profissional de saúde diante da morte, é que, sendo ele parte desse social submetido a esse mesmo desenrolar histórico, e tendo ele seus temores e vivências no experienciar a morte de outrem e de pessoas próximas, imersas em seu pequeno mundo, estar diante de um paciente que morre ou que vai morrer é estar diante da reedição da história de suas emoções quanto à morte em sua vida. É o passado que volta, e com ele sua dor e seu sofrimento. Não é à toa que muitas vezes ele se sente paralisado e impotente em tais situações e se vê compelido a utilizar os mecanismos de defesa de negação, de evasão, de racionalização — ou qualquer outro que o leve para longe do contato consigo mesmo.

Levando em conta que a impotência diante da morte é um sentimento humano e generalizado, ao qual se segue a raiva e a revolta de se ver privado da proximidade daquele que amamos e que, numa época em que o compartilhamento dessa impotência e dessa raiva é dificultado pela interdição da morte, é perfeitamente compreensível que tais sentimentos sem objeto se voltem à procura de um bode expiatório. É essa a razão, a meu ver, que rege a quase irracionalidade com que se tenta explicar por erro médico uma morte inexplicável ou inesperada. Sem negar a ocorrência do erro médico, tal reação, que nem sempre se manifesta por ocasião da morte de um parente ou amigo, emerge, catarticamente deslocada, quando morre um ídolo popular. O ídolo acaba por catalisar toda uma emoção reprimida que não pode sair inteira no contato com nossos próprios mortos, que continuamos a carregar. Nenhum choque anafilático imprevisível e inevitável é capaz de deter a onda de revolta que só diminui quando corporificamos o algoz executor da morte. O médico terá de contar com isso em sua profissão. Se o cirurgião é mais ou menos perdoado pela morte de seu paciente porque é esperado que muitos morram na mesa de cirurgia, o psiquiatra será sempre visto de soslaio se um paciente seu cometer suicídio. No entanto, para ambos, o risco profissional, o risco de morte, é o mesmo. Talvez porque intuitivamente o médico saiba disso, é difícil para ele ser o mensageiro da morte. Conversar francamente com o paciente e com sua família sobre a possibilidade de morrer equivale a decretar a sentença de morte e até a correr o risco de ser identificado como o carrasco. Vi médicos escolherem por especialidade uma em que não tivesse (ou tivesse muito pouco) de lidar com a morte. E até um que precisou solicitar a um psiquiatra que desse a notícia da morte de um doente de quem cuidava para os familiares.

Josildeth Consorte, antropóloga, estudando a morte na prática médica, demonstra que a morte do paciente é algo com que o médico conta em sua vivência profissional, e que muitas vezes

> o seu procedimento [...] deixa de se caracterizar por atitudes de luta, orientando-se apenas no sentido de minorar o sofrimento do "paciente" ou torná-lo insensível a ele, sedando-o, com o que não apenas deixa de sofrer como mergulha no silêncio, silêncio esse em que deve permanecer até seu desenlace, retirando desse, senão toda, pelo menos grande parte da sua dramaticidade.[122]

Outra antropóloga, Maria Helena Villas Boas Concone, que escreveu sobre o significado da Anatomia na formação médica, afirma: "[...] encontramos o médico não como um profissional habituado ao trato com a morte, mas sim como um profissional que tem na morte seu limite e seu desafio, e para quem a morte é sempre uma surpresa"[123].

Eu perguntaria se o médico, diante desse limite, que é o seu limite, mesmo atuando dentro de uma de suas atribuições, que é a de promover o máximo conforto do corpo, não esquece outra, a do conforto da alma, e por isso acaba por ajudar a despir a morte do seu conteúdo e sentido dramáticos, quando seria seu dever preservá-los. Por que não ajudar a fornecer os elementos necessários à despedida?

Cito ainda Fernando Pessoa na voz de Álvaro de Campos: "[...] Estou hoje lúcido, como se estivesse para morrer, / E não tivesse mais irmandade com as coisas / Senão uma despedida [...]".[124]

É um mito achar que o paciente desenganado não sabe que vai morrer.

No livro *A criança e a morte*[125], Ginette Raimbault demonstra exaustivamente que crianças de várias idades, internadas em hospitais com doenças de desenlace fatal, sabem de seu destino e pressentem o momento da morte, qualquer que seja a ideia de morte que tenham. Se a criança sabe, por que o adulto não saberá? O adulto apenas se defende mais acirradamente da ideia de morte.

São muito conhecidos os trabalhos de Elisabeth Kübler-Ross sobre pacientes terminais, em que ela aponta cinco fases pelas quais eles passam ao saber de sua condição: negação, raiva, barganha, depressão e aceitação. Na verdade, tais fases não passam dos sentimentos que o saber da morte acarreta em contraposição aos mecanismos de defesa que o desenganado utiliza para afastá-los, num processo que culmina com o contato frente a frente com o fim real próximo sem barreiras ou defesas.

Em minha experiência pessoal como psicoterapeuta, tais fases também podem ser observadas nitidamente entre os familiares daquele que vai morrer. Eu diria estarmos diante não de um moribundo e de sua família, mas de uma família "moribunda", assim como quando uma mulher engravida estamos diante não de uma mulher, mas de um "casal grávido". Mais que a biologia, prevalece o estado que a alteração biológica acarreta no indivíduo e em sua teia relacional, ou seja, em sua rede sociométrica. Um bom exemplo pode ser dado por uma mulher que, em seu processo de psicoterapia, começou a aceitar a morte próxima do marido canceroso no dia em que mandou pintar a casa preparando-a para as visitas que receberia para consolá-la.

A morte hoje está de tal forma interdita — e tão acostumados nós estamos a mentir sobre ela — que o esforço da mentira nos isola num momento em que todos nós precisamos de proximidade e de afeto. Ficamos sem ter a quem recorrer e quase chegamos ao absurdo de criar quase a necessidade de uma terapia familiar para lidar com ela antes ou de uma terapia do luto para lidar com ela depois.

Nossa postura global precisa mudar, e essa mudança só é possível com uma transformação interna. A percepção clara e ampliada sobre nós mesmos diante da morte — nosso medo, nossa finitude, nossas perdas, nossos preconceitos — é o único caminho capaz de permitir uma melhor percepção do outro. Por essa razão, é inútil prescrever fórmulas, porque qualquer fórmula escapa à possibilidade de estar inteiro consigo mesmo e com o outro. Estar junto daquele que morre é estar junto da própria condição humana, em que a imortalidade não tem lugar. É, percebendo nele os reflexos de nossos temores e dúvidas, vê-lo radiograficamente para abordá-lo e até conquistá-lo para a luta pela vida, uma luta travada em conjunto enquanto existir chama. E, finalmente, diante da impotência definitiva perante o destino comum, estabelecer ao menos os laços de tal parceria humana.

São Paulo, 1º de abril de 1984

# Apêndice 3 —
# O segundo espaço mortuário[126]

Nem bem tinham cimentado a laje da sepultura e no cimento, em mim somente, ainda o meu silêncio, e já me apresentavam desculpas: "Não leve a mal, tenho de ir correndo. Marquei consulta no médico"; "Pego às duas"; "Deixei a Patrícia com a babá". E até uma das amigas de minha tia morta, afobada, espichava o pescoço e abria caminho em disfarçadas cotoveladas em minha direção: "Você enxerga daí o número da sepultura?" Ela jogava no bicho todo dia e não podia perder aquela barbada.

Cinco meses antes, a poucos metros dali, eu enterrava meu pai. Chamado a um canto, o coveiro me dissera: "Doutor, aqui estão os números da quadra e da gaveta. Somos oito funcionários e ajudantes". Mesmo para me pedir gorjeta em época de crise, todos eles se mantiveram discretamente à distância, esperaram a dispersão dos acompanhantes e só então o que parecia ser o chefe deles me chamou à parte, sabendo, sem que eu o dissesse, que eu era o filho mais velho. Chamaremos a sua atitude de tino comercial? De que chamar?

Na madrugada do enterro dessa irmã do meu pai, no velório realizado no cemitério, estávamos naquelas horas mortas dos velórios, em que apenas os três ou quatro "donos do morto" permanecem esgotados, estoicos, cochilando nos quatro cantos da sala, esperando e até torcendo para o dia amanhecer, alvorada que traz inevitavelmente ondas sucessivas de pessoas, muitas saídas de velhos álbuns de família, só que mais desbotadas, congestionando até os corredores na hora da encomenda do corpo. De repente somos sacudidos por uma agitação na escada. É um grupo de moradores de uma favela que traz para a sala ao lado o caixão de um vizinho assassinado numa briga de valentões. Em menos de dez minutos, o rapaz do cafezinho nos conta toda a história — pombo-correio dos velórios. Descubro nesse momento que nos tornamos todos mais ou menos íntimos, pois somos de uma certa forma biografados uns para os outros. No ar, certa corrente de solidariedade dolorosa. Sou apanhado de surpresa quando entram na sala dois rapazes, do velório ao lado, que com a maior naturalidade se aproximam do caixão da minha tia e a contemplam demoradamente com uma expressão para a qual custei a encontrar um nome, mas que hoje chamo de simpatia. Não era dor, nem curiosidade, nem desolação. Era simpatia. A mesma expressão com que a gente olha um bebê desconhecido através da janela de um berçário. Olharam e um comentou com o outro: "Está tão bonita. Parece que está dormindo, não é?", frase que em outra boca seria o lugar dos lugares-comuns pela inocuidade de afeto. Mas pronunciada ali, naquele momento, com o assentimento do outro, tomava tal vulto, por tão simplesmente verdadeira, que parecia obra de gênio, apenas porque estavam os dois inteiros e o estar junto adquiria qualidade e substância. Então, um se retirou e o outro se sentou ao meu lado e, sem preâmbulos, começou a conversar comigo. Mais tarde fui também ao lado visitar o morto dele, uma retribuição que se tornou natural. Inscrevi-me em outro sistema que não o de meus costumes.

Habituei-me, em todos esses anos de profissão de médico, a me defrontar com a morte em seu primeiro espaço, no local onde ela ocorre: nas enfermarias de hospitais, nas salas de pronto-socorro, em centros cirúrgicos, nas casas ricas e pobres onde fui chamado a atender pessoas, nas ruas a que acorria em ambulâncias e em que muitas vezes chegava depois das infalíveis velas e da mortalha feita de jornal. Os personagens desses cenários se me tornaram familiares: outros médicos, enfermeiros, membros das famílias, curiosos, repórteres, policiais, toda uma gama de atitudes e de expressões que variavam ao sabor do caráter da morte, desde a longamente esperada até aquela ocorrida em circunstâncias trágicas e acidentais. Movimentava-me nesse palco com razoável desenvoltura, como também naquele espaço didático em que a morte se me apresentava nas mesas de autópsia ou nos anfiteatros de anatomia. Minha atividade de psiquiatra me tirou desse elenco.

Outros papéis sociais me levaram a participar de vários velórios e enterros de parentes, amigos e conhecidos. Também aprendi alguma coisa que me soa como comportamento em velórios e enterros. Fui participante, observador, coadjuvante e em alguns momentos até protagonista, com minhas emoções, nesse espaço social em que se compartilha a impotência e a dor da morte.

Morreu meu pai, e na morte dele me vi no espaço intermediário entre o primeiro e o segundo, o dos velórios e enterros, que descobri terceiro. Esse espaço intermediário, que a partir de agora chamarei de segundo espaço mortuário, é aquele em que fazemos os preparativos para que a morte instante, impotência e impacto do primeiro espaço se transforme na morte "social" do terceiro.

Morando em outra cidade, cheguei à noite na casa. Estávamos todos e a ausência. O corpo no hospital seria autopsiado apenas na manhã seguinte. O fácil acesso e o livre trânsito como médico me levaram à Unidade de Terapia Intensiva para desembaraçá-lo, dispensando-o da autópsia. Fui muito bem recebido por meus colegas, que imediatamente preencheram o atestado de óbito e terminaram aí sua função. Então eu era tão só parente, e no corredor do hospital rumo à sala da Patologia, tendo ao lado um irmão e à frente a maca e dois serventes, parti ao encontro do que fora meu pai, enfrentando sua morte com uma prosaica sacola de plástico, que continha o que minha mãe julgara ser suas melhores roupas, não necessariamente, nem sei, as suas preferidas.

Entrei tantas vezes em salas de patologia, mas agora eu precisava me armar de uma falsa coragem. Tive medo e exigi de mim uma reserva a mais de energia. A luz foi acesa e o ambiente pelo menos tinha a forma e o cheiro que eu reconhecia. Para meu irmão ali presente, era tudo novo. Entre todas as portas da geladeira, apenas uma tinha uma etiqueta improvisada de esparadrapo, como é tão comum nos hospitais. Lembro que pensei naquele momento: se não fosse o esparadrapo, que seria dos funcionários de um hospital? Estranhamente esse pensamento me consolou e me permitiu o próximo passo — ler o esparadrapo. E lá estava o nome de meu pai. Assenti com a cabeça e os dois serventes colocaram na maca o copo amortalhado em um lençol. Preso por esparadrapos.

No momento em que o descobri, meu coração bateu por todos os mortos que vi, toquei e descobri e por quem aparentemente ele não batera porque precisava não ter batido. E pela primeira vez eu tive de vestir um morto. Foi naquela sala fria de lâmpadas fluorescentes que descobri a crueza da morte nesse segundo espaço, sem providências médicas e sem condolências em torno, e dele emergiu um mundo obscuro e desconhecido nas mãos dos serventes que me ajudaram a vesti-lo.

Juntando e comparando as minhas vivências dessas duas mortes com meus trabalhos sobre tal assunto, pude constatar claramente, apesar de ter recebido de tantas pessoas, dos mais variados papéis e funções, manifestações de grande solidariedade e afeto, a dificuldade de absorção da morte vivida em nossa época. Não foi por acaso que tive grande conforto dos transeuntes do segundo espaço mortuário: os serventes que me ajudaram, o empregado do florista, o rapaz do almoxarifado que ofereceu seu ombro para chorar, as telefonistas do hospital, os transportadores da funerária, o moço do cafezinho e o vendedor da lanchonete do velório, que me fizeram companhia. Pude experimentar a proximidade dos anônimos das instituições. Eu já dissera, em outra ocasião, que a função mais diferenciada de um funcionário hospitalar levava ao dispêndio de um tempo menor no contato com o paciente e que talvez o funcionário mais humilde seria também aquele que poderia dar maior conforto ao doente desenganado e aos parentes após sua morte. No que toca à minha experiência pessoal naquele segundo espaço, isso é verdade.

Retornando ao meu vizinho de velório nas horas mortas da madrugada e à atitude do coveiro, amplio esse segundo espaço para algo mais que um mero espaço temporal, para algo que surda mas eloquentemente flui através dos ritos, dos papéis sociais, e que parece estar ligado mais a uma experiência autenticamente humana que inclui a morte no dia a dia. E aqui oponho dois costumes. O primeiro, muito singelo, próprio do interior do Maranhão, o de enfeitar com flores de papéis coloridos, uma imposição até econômica e ecológica, as crianças que morrem na região, juntando a elas bilhetes. Como o mensageiro é uma criança, sem dúvida ela chegará ao céu. Assim, as pessoas enviam votos e mensagens por arauto certo, arauto de suas aflições. O segundo, tão nosso conhecido e desconhecido, o do fornecedor de adjetivos e advérbios naquele segundo espaço mortuário. Chegamos ao serviço funerário e lá está um funcionário encarregado de publicar nos jornais o anúncio fúnebre. Ele nos mostrará modelos de diversos tamanhos e de várias redações. Podemos escolher entre "a família compungida" e "dolorosamente participa" e até mesmo uma redação própria. Sem percebermos, a nossa forma de chorar também é padronizada, descaracterizada e pasteurizada.

Witter[127], historiador brasileiro, estudando precisamente anúncios fúnebres em nosso meio, demonstra que nos últimos 60 anos praticamente não houve modificação em sua forma e conteúdo, apenas mudou sua localização dentro do jornal. Até os anos 1940, tais anúncios se misturavam a anúncios de lenha, de carros, de pianos, de pó de arroz, de protestos, de pensões etc., até a forma destacada que têm hoje. Ele se pergunta: "Poder-se-ia dizer que a morte começava a ser vista como algo a ser diferenciado, ou a conquista de um público leitor começava a ser vislumbrada?" E ainda:

> E, pensando no anúncio, ao longo do período proposto, visto na sua dimensão social e no seu conteúdo psicológico e estético mantido padronizado, imutável e impessoal, pode-se compreendê-lo como parte integrante de um ritual, quase asséptico, que desobriga o próprio grupo familiar da tarefa árdua e dolorosa de comunicar a cada um dos membros componentes da sociedade o falecimento do "morto querido".

Muitas vezes, os rodeios que fazemos antes de dar uma notícia de morte fermentam nossa imaginação a tal ponto que seu desmoronamento no confronto com o real é proporcional à nossa dificuldade particular de absorver o fato, que transformamos em projeção cujo alvo é aquele que receberá nosso aviso. Tentando protegê-lo estamos na verdade querendo ser protegidos. Um exemplo disso, bastante comum, é a atitude que, em tais casos, adotamos diante dos velhos e das crianças.

Uma senhora de idade bem avançada de meu círculo de relações, e já bastante doente, perdeu a irmã. Sua família quis poupá-la e escondeu dela essa morte. Meses depois, ela confidenciou a um dos netos: "Eu sei que Fulana morreu, mas não conte para ninguém que eu sei. Eles ficarão muito decepcionados se descobrirem. Estão tão cuidadosos comigo e fazendo tanta força para disfarçar, que seria uma pena contrariá-los".

Uma cliente minha perdeu a avó e ficou se debatendo na dúvida entre levar ou não o filho de 8 anos para ver a morta. Enfim decidiu levá-lo, ainda na casa, para que ele não se impressionasse com o caixão e com as cenas de velório. No caminho, o menino colheu por conta própria algumas flores do jardim. No quarto, diante da bisavó, que estava na própria cama, ficou um pouco em silêncio, mas à vontade, perguntou à mãe se a vovó ia para o céu e depositou as flores ao lado dela. Estava também presente o irmão da falecida, e porque o menino não o conhecia, indagou: "Quem é você?" "Sou o irmão dela", respondeu o velho, apontando a morta. Imediatamente o menino virou para o lado e comentou: "Era, não é, mamãe?"

O costume dos anúncios fúnebres é parte de um bloqueio social de externar a tristeza ou a dor e de deixar estampar na face o pranto. Por ocasião das Olimpíadas de Los Angeles, assisti na tevê à cerimônia de premiação dos vencedores de uma prova de atletismo. No momento em que o atleta, um homem, levantou a cabeça, tendo acabado de receber a medalha de ouro, começou a chorar. No mesmo instante o locutor comentou: "Finalmente ele foi vencido pela emoção". E assim nos habituamos a associar manifestações de sentimentos com derrota.

O tratamento da morte se inscreve apenas num movimento mais geral de dissimulação. Basta olhar em torno. Os carros passam e levam nos vidros adesivos que proclamam um amor muito igual dirigido a qualquer coisa, em geral distante dos interesses reais e camuflado até mesmo em línguas estrangeiras, à preferência do freguês, o coração vermelho substituindo o verbo amar. Esse amor de linha de montagem é descrito sempre do mesmo modo. Lemos por exemplo: "'I love New

York", "J'aime Paris" e até "I love rubgy", e, pasmem, "I love Maluf"! Será que amar não tem peso diferente, dependendo de que e de quem a gente ama? Parece que não sabemos bem para onde dirigir nosso amor, que não se adere na alma.

De outra perspectiva, assistimos hoje, pelo menos em São Paulo, à moda de estender nas ruas, de calçada a calçada, faixas pintadas com letras coloridas proclamando o amor de alguns por um aniversariante qualquer: "Parabéns, nós te amamos muito, Fulaninho" e coisas do tipo, que me fazem pensar no sentido privado e no sentido público do amor. Na necessidade de expansão dos afetos e das sensações. Olhando essas faixas, imagino na densidade urbana e poluída desta pauliceia desvairada, como partículas suspensas, milhares de gritos parados no ar, travados na garganta. Não posso deixar de achar que a crise que vivemos não é uma crise de morte, e sim de amor: uma crise de amar.

Recebi na semana passada uma carta de uma ex-cliente, cuja filha foi brutalmente assassinada por um casal de assaltantes. Na carta ela me contava que, finalmente, ambos tinham sido condenados a tantos anos de prisão, e acrescentava: "Ele foi obrigado a pagar uma multa de seis mil cruzeiros e ela, de oito mil cruzeiros. Com tanta inflação, a vida humana foi a única coisa que não valorizou".

Por essas razões, melhor entendo a reconciliação de tais sentimentos naquele segundo espaço mortuário e nas horas mortas dos velórios, em que a morte, mais distanciada do social comum e trivial, possibilita a companhia sem máscaras, sem faixas nem adesivos, e que me redimensiona o seu caráter público e privado. E, experimentando essa companhia desinteressada daquele desvalido na penumbra da madrugada diante do corpo morto e ambíguo, ao mesmo tempo pleno e vazio de significado, soa-me com toda sua beleza e profundidade, como canto de um sino de bronze, a frase de Adso que termina *O nome da rosa*, de Umberto Eco[128]:

> Afundarei na terra divina, num silêncio mudo e numa união inefável, e nesse afundar-se será perdida toda igualdade e toda desigualdade, e naquele abismo meu espírito perderá a si mesmo e não conhecerá nem o

igual e nem o desigual, nem nada: e serão esquecidas todas as diferenças, estarei no fundamento simples, no deserto silencioso onde nunca se viu diferenças, no íntimo onde ninguém se encontra no próprio lugar. Cairei na divindade silenciosa e desabitada onde não há obra nem imagem.

Descobri, tocando saxofone, num trecho de uma partitura de um solo de *jazz*, o som de um soluço, que nada mais era que duas notas seguidas em oitavas diferentes, um salto correspondente a determinado intervalo musical. O salto, a música, o soluço. A emoção, de repente, parecendo deslocada. E assim me pareceu o soluço trazido da rua por outra cliente minha quando me conta que, chegando de manhã ao estacionamento do centro da cidade, deparou com um suicida, que se atirara de um prédio, agonizando no asfalto. As pessoas passavam por ele na pressa do trabalho. Transportou-o para seu próprio carro com o auxílio do garagista e levou-o para o hospital com calma e eficiência — uma personagem potencial daquele segundo espaço. Em meu consultório, ao me dizer tudo isso, o soluço e uma angústia, que acabaram por revelar, em outra oitava esquecida, uma cena de infância em que, bem pequena, ficava imobilizada diante da mãe que tentara suicídio, sem saber o que fazer nem como socorrer, percebendo apenas a confusão de uma movimentação difusa de muitas pessoas, entremeada com seus perplexos porquês — motivações inconscientes de nossa solidariedade. Aproximando-se internamente da mãe, aproximou-se mais ainda daquele suicida desconhecido.

Dalton Trevisan escreve no oitavo de 16 haicais: "Ao se vestir, escolhe a camisa mais florida. / — Ele não sabe que se enfeita para a morte"[129].

O caminho do inconsciente se cruza muitas vezes com o caminho do destino. Nem sempre sabemos o porquê da camisa florida e nem mesmo para que ela nos enfeitará. Esse ponto de encontro infinito dessas duas aparentes paralelas dirige a mão de uma pessoa que chora diante de mim, falando de sua orfandade, e amassa o lenço de papel molhado de suas dores e lágrimas. Enquanto me fala, percebo que, sem querer, do lenço ela faz uma flor. Quando lhe mostro comovido a flor branca e, após o silêncio em que nos encontramos, lhe pergunto a quem ela se destina, responde-me: "Quero dar esta flor a meu filho quando sair daqui para que ele cresça com ela". Sinto que nesse momento essa flor branca nos redime numa entrega e num renascimento em que nós, aves noturnas, mergulhamos após as sombras, saídas das trevas, alçando voo por sobre nossas semelhanças e diferenças, igualdades e desigualdades: vida, obra e imagem — imanência e permanência.

São Paulo, 21 de novembro de 1984

# Referências e notas

1. "Quero ser lembrado como alguém que levou alegria à psiquiatria", disse Moreno.
2. MORENO, J. L. *Las palabras del padre*. Buenos Aires: Vancu, 1976.
3. GARCÍA MÁRQUEZ, G. *Crônica de uma morte anunciada*. Rio de Janeiro: Record, 1981.
4. "Pranto do poeta", parceria com Guilherme de Brito.
5. "Degraus da vida", parceria com Cesar Brasil e Antônio Braga.
6. "Eu e as flores", parceria com Jair Costa.
7. Laura Nyro, "And when I die".
8. Noel Rosa, "Fita amarela".
9. POE, E. A. "O poço e o pêndulo". *Histórias extraordinárias*. São Paulo: Companhia das Letras, 2017.
10. FREI BETTO. *Batismo de sangue: os dominicanos e a morte de Carlos Marighella*. Rio de Janeiro: Civilização Brasileira, 1982.
11. MORENO, J. L. *Psicodrama*. São Paulo: Cultrix, 1978, p. 100.
12. NAFFAH NETO, A. *Psicodrama: descolonizando o imaginário*. São Paulo: Plexus, 1997, p. 68-70.
13. Para os não familiarizados com o psicodrama, a inversão de papel é uma técnica em que o protagonista atua como se fosse outra pessoa, podendo também tomar o papel de um sentimento, de uma sensação ou até mesmo de um objeto inanimado, expressando-se livremente no papel.
14. O conceito de cacho de papéis será mais bem explicado no Capítulo 5.
15. CAMUS, A. *A peste*. Rio de Janeiro: Record, 2003.
16. BUSTOS, D. M. "Encontro em psicoterapia psicodramática". Trabalho apresentado à Sociedade de Psicodrama de São Paulo, 1982.
17. ARIÈS, P. *O homem diante da morte*. v. I. Rio de Janeiro: Francisco Alves, 1981, p. 11.
18. *Ibidem*.
19. AMADO, J. *A morte e a morte de Quincas Berro D'Água*. São Paulo: Companhia das Letras, 2008.
20. ARIÈS, P. *História da morte no Ocidente*. Rio de Janeiro: Francisco Alves, 1977, p. 22.
21. *Ibidem*, p. 35.
22. HUIZINGA, J. *O declínio da Idade Média*. São Paulo: Verbo/Edusp, 1978, p. 132.
23. BROWN, D. *Enterrem meu coração na curva do rio*. Porto Alegre: L&PM, 2003.
24. ARIÈS, P. *O homem diante da morte*. v. II. Rio de Janeiro: Francisco Alves, 1982, p. 429.
25. HUIZINGA, J. *O declínio da Idade Média*, op. cit., p. 25.

26 GREENE, G. *O fator humano*. Porto Alegre: L&PM, 2006.
27 RIBEIRO, D. *Maíra*. São Paulo: Global, 2014.
28 BRADBURY, R. "A caixinha de surpresa". *O país de outubro*. Rio de Janeiro: Francisco Alves, 1981.
29 O trecho entre aspas é uma transcrição literal de um trecho do conto.
30 RAIMBAULT, G. *A criança e a morte*. Rio de Janeiro: Francisco Alves, 1979, p. 18.
31 PIAGET, J. *A formação do símbolo na criança*. Rio de Janeiro: Zahar, 1978, p. 220.
32 *Ibidem*, p. 256.
33 FREUD, S. "La interpretación de los sueños". *Obras completas*. Madri: Biblioteca Nueva, 1973, p. 502.
34 REIMBAULT, G. *A criança e a morte*, op. cit.
35 BUSTOS, D. M. "Prólogo". In: NAFFAH NETO, A. *Psicodrama: descolonizando o imaginário*. São Paulo: Plexus, 1997, p. 12.
36 FREUD, S. "O Ego e o id". In: SCHUR, M. *Freud: vida e agonia*. Rio de Janeiro: Imago, 1981.
37 ANDRADE, C. D. "Congresso Internacional do Medo". *Antologia poética*. 12. ed. Rio de Janeiro: José Olympio, 1978, p. 109.
38 FREUD, S. "El tema de la elección de un cofrecillo". *Obras completas*. Madri: Biblioteca Nueva, 1973, p. 1.875.
39 CORTÁZAR, J. "Comportamento nos velórios". *Histórias de cronópios e de famas*. Rio de Janeiro: Civilização Brasileira, 1973.
40 GOMES, P. E. S. "Ermengarda com H". *Três mulheres de três PPPês*. Rio de Janeiro: Nova Fronteira, 1982.
41 CAMÕES, L. V. de. "Alma minha gentil". *Sonetos*. São Paulo: Ática, 2012.
42 CARDOSO, L. *Crônica da casa assassinada*. Rio de Janeiro: Civilização Brasileira, 1999.
43 "GUÉRIN, G. "Estar de luto". In: RAIMBAULT, G. *A criança e a morte, op cit.*, p. 179.
44 BOWLBY, J. "Processes of mourning". In: CARUSO, I. *A separação dos amantes*. São Paulo: Cortez, 1981.
45 Simone de Beauvoir, citada em reportagem de Pedro Zan sobre o tema da morte. *O Estado de S. Paulo*, 3 dez. 1982.
46 "Pedaços de mim", Chico Buarque de Holanda.
47 "Atrás da porta", Chico Buarque de Holanda.
48 CARUSO, I. *A separação dos amantes, op. cit.*, p. 20.
49 *Ibidem*, p. 25.
50 Idem.
51 BECKER, E. *A negação da morte*. Rio de Janeiro: Nova Fronteira, 1976, p. 173.
52 O conceito tele será mais bem compreendido no Capítulo 5.
53 COSTA, A. M. A. A. "O teste sociométrico centrado no indivíduo". Trabalho apresentado à Sociedade de psicodrama de São Paulo, 1981, p. 65.
54 BORGES, J. L. "As ruínas circulares". *Ficções*. São Paulo: Companhia das Letras, 2007.
55 Tais relatos incluem, apenas por coincidência, cortes transversais de processos psicoterápicos de mulheres. O critério utilizado foi apenas o da maior riqueza de ilustração. Naturalmente também com os homens ocorre o cruzamento de morte com sexualidade.
56 Duplo é uma técnica psicodramática em que o terapeuta, tomando o papel do cliente, expressa por palavras, posturas e ações aquilo que percebe não estar sendo explicitado — o latente, o defendido.

[57] Géza, G. "Qual dos dois?" In: Rónai, P. (org.). *Antologia do conto húngaro*. Rio de Janeiro: Civilização Brasileira, 1958.
[58] Os papéis psicossomáticos, definidos por Moreno, seriam os primeiros papéis desempenhados pelo ser humano e ligados às funções vitais: papel de ingeridor, de defecador e de urinador.
[59] Mezher, A. "Um questionamento acerca da validade do conceito de papel psicossomático". *Revista da Febrap*, ano 3, v. 1, 1980, p. 221.
[60] Rocheblave-Spenlé, A.-M. *La notion de rôle en psychologie sociale*. Paris: PUF, 1969, p. 145.
[61] *Ibidem*, p. 172.
[62] Idem.
[63] *Ibidem*, p. 71.
[64] *Ibidem*, p. 162.
[65] *Ibidem*, p. 142-43.
[66] Naffah Neto, A., *op. cit.*, p. 196.
[67] Capelato, A.; Santos, A. G.; Naffah Neto, A. "Análise e processamento de uma sessão de psicoterapia psicodramática grupal, com protagonista". *Psicodrama*, ano III, 1981, p. 3-16.
[68] Costa, R. P. T. "Homossexualidade". *Psicodrama*, ano III, 1981, p. 29.
[69] Pluchennik, T. I. "O psicodrama e uma minoria social". Trabalho apresentado à Sociedade de Psicodrama de São Paulo, 1981, p. 13.
[70] *Ibidem*, p. 3.
[71] Rocheblave-Spenlé, A.-M., *op. cit.*, p. 252.
[72] Yamada, A. K. "Psicodramatista mulher". *Psicodrama*, ano III, 1981, p. 17-26.
[73] Gonçalves, C. S. "Psicodramatista, mulher e criança". Trabalho apresentado à Sociedade de Psicodrama de São Paulo, 1981.
[74] Moncau, T. P. "O ego-auxiliar, origem, evolução e função do papel". Trabalho apresentado à Sociedade de Psicodrama de São Paulo, 1981.
[75] Naffah Neto, A. *Psicodramatizar*. São Paulo: Ágora, 1980, p. 8.
[76] Dias, V. C. S.; Tiba, I. "Núcleo do eu". Trabalho apresentado à Sociedade de Psicodrama de São Paulo, 1977, p. 5.
[77] Fonseca Filho, J. S. *Psicodrama da loucura*. 7. ed. rev. São Paulo: Ágora, 2008, p. 125.
[78] Rocheblave-Spenlé, A.-M., *op. cit*, p. 192.
[79] Pereira, V. C. M.; Sugai, M. A. "A entrevista psicodramática". Trabalho apresentado à Sociedade de Psicodrama de São Paulo, 1982, p. 21.
[80] Moreno, J. L. *Fundamentos de la sociometría*. Buenos Aires: Paidós, 1972, p. 72.
[81] Aguiar Netto, M. C. "Psicodrama e rematrização ideológica". Trabalho apresentado à Sociedade de Psicodrama de. São Paulo, 1981, p. 5.
[82] Moreno, J. L. *Psicoterapia de grupo e psicodrama*. São Paulo: Mestre Jou, 1974, p. 57.
[83] Naffah Neto, A. *Psicodramatizar*, *op. cit.*, p. 65.
[84] O termo "encontro" empregado por Rocheblave-Spenlé não tem o mesmo sentido que lhe dá a teoria do psicodrama.
[85] Rocheblave-Spenlé, A.-M., *op. cit.*, p. 334.
[86] *Ibidem*, p. 341.

[87] *Ibidem*, p. 352.
[88] Para os menos familiarizados com o psicodrama, a catarse de integração não se superpõe ao conceito psicanalítico de ab-reação.
[89] Barrucand, D. "Catarsis et psychodrama". *Bulletin de Psychologie*, v. 285, n. XXIII, 1969-1979, p. 736-39.
[90] Naffah Neto, A. *Psicodramatizar, op. cit.*, p. 173.
[91] Almeida, W. C. *Psicoterapia aberta – O método do psicodrama*. São Paulo: Ágora, 2006, p, 184.
[92] Bustos, D. M. *Psicoterapia psicodramática*. Buenos Aires: Paidós, 1975, p. 60.
[93] *Ibidem*, p. 60.
[94] Lemoine, G.; Lemoine, P. *O psicodrama*. Belo Horizonte: Interlivros, 1978.
[95] Araújo, A. V. "A formação do terapeuta em psicodrama: da tomada do papel ao momento (criador) no saber científico ou Para uma semiologia do psicodrama: reflexão sobre o conceito de imagem e imaginação". Trabalhos apresentados à Sociedade de Psicodrama de São Paulo, 1981.
[96] Becker, E., *op. cit.*, p. 18.
[97] Idem.
[98] Bustos, D. M. *O teste sociométrico*. São Paulo: Brasiliense, 1979, p. 22.
[99] Naffah Neto, A. *Psicodramatizar, op. cit.*, p. 6.
[100] Shakespeare, W. "Hamlet, príncipe da Dinamarca". *Tragédias*. São Paulo: Abril Cultural, 1981.
[101] Naffah Neto, A. "O psicodrama contemporâneo". *As psicoterapias hoje*. São Paulo: Summus, 1982, p. 56.
[102] Sede do Moreno Institute, em Nova York (EUA).
[103] Verissimo, E. *Incidente em Antares*. Rio de Janeiro: Globo, 1974.
[104] Poe, E. A. "Berenice". *Histórias extraordinárias*. São Paulo: Companhia das Letras, 2017.
[105] Becker, E., *op. cit.*, p. 177.
[106] Camus, A. *A peste*. Rio de Janeiro: Record, 1947.
[107] Costume nos velórios da cidade de São Paulo.
[108] Camões, L. V. de. *Os lusíadas*. Texto proveniente d'A Biblioteca Virtual do Estudante Brasileiro [on-line]. Disponível em: <http://www.dominiopublico.gov.br/download/texto/bv000162.pdf>. Acesso em: 20 jun. 2019.
[109] Conferência apresentada no II Seminário Interdisciplinar sobre a Morte: "A morte e os mortos na sociedade brasileira". Universidade de São Paulo, 3 de novembro de 1983.
[110] Andrade, C. D. A. "Resíduo". *A rosa do povo*. Rio de Janeiro: José Olympio, 1945.
[111] Vargas Llosa, M. "Sangue nos Andes". *Jornal da Tarde*, 19 ago. 1983.
[112] Lispector, C. "O grande passeio". *Felicidade clandestina*. Rio de Janeiro: Rocco, 1998.
[113] Paiva, M. R. *Feliz ano velho*. Rio de Janeiro: Alfaguara, 2015.
[114] Andrade, C. D. de. "A morte do leiteiro". *A rosa do povo*. Rio de Janeiro: José Olympio, 1945.
[115] Andrade, C. D. de. "Caso do vestido". *A rosa do povo*. Rio de Janeiro: José Olympio, 1945.
[116] Simenon, G. *Carta a meu juiz*. Porto Alegre: L&PM, 2013.

[117] Conferência apresentada ao I Simpósio de Enfermagem Oncológica do Hospital Albert Einstein. São Paulo, 13 de abril de 1984.
[118] CAMPOS, A. de. (Fernando Pessoa). "Tabacaria". *Poesias de Álvaro de Campos*. Lisboa: Ática, 1944.
[119] SANTOS, C. A. F. "Os profissionais de saúde enfrentam-negam a morte". In: MARTINS, J. de S. (org.). *A morte e os mortos na sociedade brasileira*. São Paulo: Hucitec, 1983.
[120] MAJASTRE, J. O. *La introducción del cambio en un hospital psiquiátrico*. Buenos Aires: Granica, 1973.
[121] ARIÈS, P. *História da morte no Ocidente*. Rio de Janeiro: Francisco Alves, 1977.
[122] CONSORTE, J. "A morte na prática médica". In: MARTINS, J. de S. (org.). *A morte e os mortos na sociedade brasileira*. São Paulo: Hucitec, 1983.
[123] CONCONE, M. H. V. B. "O vestibular da anatomia". In: MARTINS, J. de S. (org.). *A morte e os mortos na sociedade brasileira*. São Paulo: Hucitec, 1983.
[124] CAMPOS, A. de. (Fernando Pessoa), "Tabacaria", *op. cit.*
[125] RAIMBAULT, G. *A criança e a morte*. Rio de Janeiro: Francisco Alves, 1979.
[126] Conferência apresentada ao I Fórum de Conferências e Debates "A Morte e os Mortos no Processo da Vida". Curitiba, 24 nov. 1985.
[127] WITTER, J. S. "Os anúncios fúnebres". In: MARTINS, J. de S. (org.). *A morte e os mortos na sociedade brasileira*. São Paulo: Hucitec, 1983.
[128] ECO, U. *O nome da Rosa*. São Paulo: Biblioteca Folha, 2003.
[129] TREVISAN, D. *Pão e sangue – Haicais*. Rio de Janeiro: Record, 1996, p. 89.

Aos que me parecem tantos, essa meia dúzia entre os bilhões do mundo, que me pediram tanto e tão pouco.

A esses que um dia sós, nus, mudos ou mortos, espelhos multifacetados de minha própria alma, vieram se permitir ou não rir e chorar em minha companhia.

A esses a quem nem sempre pude dar silêncio, ouvido, palavra, afeto, acolhida, competência, e de quem vislumbrei fragmentos e que, em momentos, acreditei ver inteiros quando fui inteiro.

Querendo me encontrar com eles, tropecei tantas vezes em meus próprios desencontros. Talvez eu também quisesse fixar para sempre algum pequeno instante de felicidade perdido numa curva derrapada, na poeira que sobe e embaça o que ficou indistinguível da janela traseira, hoje sem consistência vivenciada, mero registro num mapa intemporal.

E especialmente a você, Horácio, o Nene, meu pai, assim mesmo em castelhano, sem acento, que me fez percorrer até a sua morte, ocorrida entre o término e a publicação deste livro, muitos dos caminhos que aqui descrevo, calçados hoje apenas de tristeza e de lembranças, removidas que foram a tempo as dívidas de parte a parte.

Quero agradecer a todos os que direta ou indiretamente contribuíram para a realização deste livro, que, com poucas modificações, é originário de um trabalho apresentado por mim na Sociedade de Psicodrama de São Paulo para credenciamento como terapeuta de alunos e supervisor. Particularmente a Miguel Perez Navarro, mais uma vez orientador e amigo; a Alfredo Naffah Neto, Aníbal Mezher, Antônio Carlos Eva e Wilson Castello de Almeida, pelas valiosas sugestões; a José de Souza Martins, pelo incentivo; e particularmente a Dalmiro Manoel Bustos, que fez emergir a morte e a vida de dentro de mim e prefaciou este livro curiosamente no dia seguinte ao do meu aniversário.

www.gruposummus.com.br